Une partie de campagne

ŒUVRES PRINCIPALES

Romans

Une vie, Librio n° 109
Pierre et Jean, Librio n° 151
Bel-Ami
Mont-Oriol
Fort comme la mort
Notre cœur

Nouvelles

Le Horla, Librio n° 1
Boule de Suif, Librio n° 27
La maison Tellier, Librio n° 44
La petite Roque, Librio n° 217
Le docteur Héraclius Gloss, Librio n° 282
Soirées de Médan
Mademoiselle Fifi
Contes de la bécasse
Clair de lune
Les Sœurs Rondoli
Toine
Monsieur Parent
Le rosier de madame Husson
La main gauche
L'inutile beauté

Souvenirs

Au soleil
Sur l'eau
La vie errante

Guy de Maupassant

Une partie de campagne

et autres nouvelles

Texte intégral

UNE PARTIE DE CAMPAGNE

On avait projeté depuis cinq mois d'aller déjeuner aux environs de Paris, le jour de la fête de Mme Dufour, qui s'appelait Pétronille. Aussi, comme on avait attendu cette partie impatiemment, s'était-on levé de fort bonne heure ce matin-là.

M. Dufour, ayant emprunté la voiture du laitier, conduisait lui-même. La carriole, à deux roues, était fort propre ; elle avait un toit supporté par quatre montants de fer où s'attachaient des rideaux qu'on avait relevés pour voir le paysage. Celui de derrière, seul, flottait au vent, comme un drapeau. La femme, à côté de son époux, s'épanouissait dans une robe de soie cerise extraordinaire. Ensuite, sur deux chaises, se tenaient une vieille grand-mère et une jeune fille. On apercevait encore la chevelure jaune d'un garçon qui, faute de siège, s'était étendu tout au fond, et dont la tête seule apparaissait.

Après avoir suivi l'avenue des Champs-Élysées et franchi les fortifications à la porte Maillot, on s'était mis à regarder la contrée.

En arrivant au pont de Neuilly, M. Dufour avait dit : « Voici la campagne enfin ! » et sa femme, à ce signal, s'était attendrie sur la nature.

Au rond-point de Courbevoie, une admiration les avait saisis devant l'éloignement des horizons. A droite, là-bas, c'était Argenteuil, dont le clocher se dressait ; au-dessus apparaissaient les buttes de Sannois et le Moulin d'Orgemont. A gauche, l'aqueduc de Marly se dessinait sur le ciel clair du matin, et l'on apercevait aussi, de loin, la terrasse de Saint-Germain ; tandis qu'en face, au bout d'une chaîne de collines, des terres remuées indiquaient le nouveau fort de Cormeilles. Tout au fond, dans un reculement formidable, par-dessus des plaines et des villages, on entrevoyait une sombre verdure de forêts.

Le soleil commençait à brûler les visages ; la poussière emplissait les yeux continuellement, et, des deux côtés de la route, se développait une campagne interminablement nue, sale et puante. On eût dit qu'une lèpre l'avait ravagée, qui rongeait jusqu'aux maisons, car des squelettes de bâtiments défoncés et abandonnés, ou bien des petites cabanes inachevées faute de paiement aux entrepreneurs, tendaient leurs quatre murs sans toit.

De loin en loin, poussaient dans le sol stérile de longues cheminées de fabriques, seule végétation de ces champs putrides où la brise du printemps promenait un parfum de pétrole et de schiste mêlé à une autre odeur moins agréable encore.

Enfin, on avait traversé la Seine une seconde fois, et, sur le pont, ç'avait été un ravissement. La rivière éclatait de lumière ; une buée s'en élevait, pompée par le soleil, et l'on éprouvait une quiétude douce, un rafraîchissement bienfaisant à respirer enfin un air plus pur qui n'avait point balayé la fumée noire des usines ou les miasmes des dépotoirs.

Un homme qui passait avait nommé le pays : Bezons.

La voiture s'arrêta, et M. Dufour se mit à lire l'enseigne engageante d'une gargote : *Restaurant Poulin, matelotes et fritures, cabinets de société, bosquets et balançoires.* « Eh bien, madame Dufour, cela te va-t-il ? Te décideras-tu à la fin ? »

La femme lut à son tour : *Restaurant Poulin, matelotes et fritures, cabinets de société, bosquets et balançoires.* Puis elle regarda la maison longuement.

C'était une auberge de campagne, blanche, plantée au bord de la route. Elle montrait, par la porte ouverte, le zinc brillant du comptoir devant lequel se tenaient deux ouvriers endimanchés.

A la fin, Mme Dufour se décida : « Oui, c'est bien, dit-elle ; et puis il y a de la vue. » La voiture entra dans un vaste terrain planté de grands arbres qui s'étendait derrière l'auberge et qui n'était séparé de la Seine que par le chemin de halage.

Alors on descendit. Le mari sauta le premier, puis ouvrit les bras pour recevoir sa femme. Le marchepied, tenu par deux branches de fer, était très loin, de sorte que, pour l'atteindre, Mme Dufour dut laisser voir le bas d'une jambe dont la finesse primitive disparaissait à présent sous un envahissement de graisse tombant des cuisses.

M. Dufour, que la campagne émoustillait déjà, lui pinça vivement le mollet, puis, la prenant sous les bras, la déposa lourdement à terre, comme un énorme paquet.

Elle tapa avec la main sa robe de soie pour en faire tomber la poussière, puis regarda l'endroit où elle se trouvait.

C'était une femme de trente-six ans environ, forte en chair, épanouie et réjouissante à voir. Elle respirait avec peine, étranglée violemment par l'étreinte de son corset trop serré; et la pression de cette machine rejetait jusque dans son double menton la masse fluctuante de sa poitrine surabondante.

La jeune fille ensuite, posant la main sur l'épaule de son père, sauta légèrement toute seule. Le garçon aux cheveux jaunes était descendu en mettant un pied sur la roue, et il aida M. Dufour à décharger la grand-mère.

Alors on détela le cheval, qui fut attaché à un arbre; et la voiture tomba sur le nez, les deux brancards à terre. Les hommes, ayant retiré leurs redingotes, se lavèrent les mains dans un seau d'eau, puis rejoignirent leurs dames installées déjà sur les escarpolettes.

Mlle Dufour essayait de se balancer debout, toute seule, sans parvenir à se donner un élan suffisant. C'était une belle fille de dix-huit à vingt ans; une de ces femmes dont la rencontre dans la rue vous fouette d'un désir subit, et vous laisse jusqu'à la nuit une inquiétude vague et un soulèvement des sens. Grande, mince de taille et large des hanches, elle avait la peau très brune, les yeux très grands, les cheveux très noirs. Sa robe dessinait nettement les plénitudes fermes de sa chair qu'accentuaient encore les efforts des reins qu'elle faisait pour s'enlever. Ses bras tendus tenaient les cordes au-dessus de sa tête, de sorte que sa poitrine se dressait, sans une secousse, à chaque impulsion qu'elle donnait. Son chapeau, emporté par un coup de vent, était tombé derrière elle; et l'escarpolette peu à peu se lançait, montrant à chaque retour ses jambes fines jusqu'au genou, et jetant à la figure des deux hommes qui la regardaient en riant, l'air de ses jupes, plus capiteux que les vapeurs du vin.

Assise sur l'autre balançoire, Mme Dufour gémissait d'une façon monotone et continue: « Cyprien, viens me pousser; viens donc me pousser, Cyprien! » A la fin, il y alla et, ayant retroussé les manches de sa chemise, comme avant d'entreprendre un travail, il mit sa femme en mouvement avec une peine infinie.

Cramponnée aux cordes, elle tenait ses jambes droites, pour ne point rencontrer le sol, et elle jouissait d'être étourdie par le va-et-vient de la machine. Ses formes, secouées, tremblotaient continuellement comme de la gelée sur un plat. Mais, comme les élans grandissaient, elle fut prise de vertige et de peur. A chaque descente, elle poussait un cri perçant qui faisait accourir tous les gamins du pays; et, là-bas, devant elle, au-dessus de la haie du jardin, elle apercevait vaguement une garniture de têtes polissonnes que des rires faisaient grimacer diversement.

Une servante étant venue, on commanda le déjeuner.

« Une friture de Seine, un lapin sauté, une salade et du dessert », articula Mme Dufour, d'un air important. « Vous apporterez deux litres et une bouteille de bordeaux », dit son mari. « Nous dînerons sur l'herbe », ajouta la jeune fille.

La grand-mère, prise de tendresse à la vue du chat de la maison, le poursuivait depuis dix minutes en lui prodiguant inutilement les plus douces appellations. L'animal, intérieurement flatté sans doute de cette attention, se tenait toujours tout près de la main de la bonne femme, sans se laisser atteindre cependant, et faisait tranquillement le tour des arbres, contre lesquels il se frottait, la queue dressée, avec un petit ronron de plaisir.

« Tiens ! cria tout à coup le jeune homme aux cheveux jaunes qui furetait dans le terrain, en voilà des bateaux qui sont chouettes ! » On alla voir. Sous un petit hangar en bois étaient suspendues deux superbes yoles de canotiers, fines et travaillées comme des meubles de luxe. Elles reposaient côte à côte, pareilles à deux grandes filles minces, en leur longueur étroite et reluisante, et donnaient envie de filer sur l'eau par les belles soirées douces ou les claires matinées d'été, de raser les berges fleuries où des arbres entiers trempent leurs branches dans l'eau, où tremblote l'éternel frisson des roseaux et d'où s'envolent, comme des éclairs bleus, de rapides martins-pêcheurs.

Toute la famille, avec respect, les contemplait. « Oh ! ça oui, c'est chouette », répéta gravement M. Dufour. Et il les détaillait en connaisseur. Il avait canoté, lui aussi, dans son jeune temps, disait-il ; voire même qu'avec ça dans la main — et il faisait le geste de tirer sur les avirons — il se fichait de tout le monde. Il avait rossé en course plus d'un Anglais, jadis, à Joinville ; et il plaisanta sur le mot « *dames* », dont on désigne les deux montants qui retiennent les avirons, disant que les canotiers, et pour cause, ne sortaient jamais sans leurs *dames*. Il s'échauffait en pérorant et proposait obstinément de parier qu'avec un bateau comme ça, il ferait six lieues à l'heure sans se presser.

« C'est prêt », dit la servante qui apparut à l'entrée. On se précipita ; mais voilà qu'à la meilleure place, qu'en son esprit Mme Dufour avait choisie pour s'installer, deux jeunes gens déjeunaient déjà. C'étaient les propriétaires des yoles, sans doute, car ils portaient le costume des canotiers.

Ils étaient étendus sur des chaises, presque couchés. Ils

avaient la face noircie par le soleil et la poitrine couverte seulement d'un mince maillot de coton blanc qui laissait passer leurs bras nus, robustes comme ceux des forgerons. C'étaient deux solides gaillards, posant beaucoup pour la vigueur, mais qui montraient en tous leurs mouvements cette grâce élastique des membres qu'on acquiert par l'exercice, si différente de la déformation qu'imprime à l'ouvrier l'effort pénible, toujours le même.

Ils échangèrent rapidement un sourire en voyant la mère, puis un regard en apercevant la fille. « Donnons notre place, dit l'un, ça nous fera faire connaissance. » L'autre aussitôt se leva et, tenant à la main sa toque mi-partie rouge et mi-partie noire, il offrit chevaleresquement de céder aux dames le seul endroit du jardin où ne tombât point le soleil. On accepta en se confondant en excuses ; et pour que ce fût plus champêtre, la famille s'installa sur l'herbe sans table ni sièges.

Les deux jeunes gens portèrent leur couvert quelques pas plus loin et se remirent à manger. Leurs bras nus, qu'ils montraient sans cesse, gênaient un peu la jeune fille. Elle affectait même de tourner la tête et de ne point les remarquer, tandis que Mme Dufour, plus hardie, sollicitée par une curiosité féminine qui était peut-être du désir, les regardait à tout moment, les comparant sans doute avec regret aux laideurs secrètes de son mari.

Elle s'était éboulée sur l'herbe, les jambes pliées à la façon des tailleurs, et elle se trémoussait continuellement, sous prétexte que des fourmis lui étaient entrées quelque part. M. Dufour, rendu maussade par la présence et l'amabilité des étrangers, cherchait une position commode qu'il ne trouva pas du reste, et le jeune homme aux cheveux jaunes mangeait silencieusement comme un ogre.

« Un bien beau temps, monsieur », dit la grosse dame à l'un des canotiers. Elle voulait être aimable à cause de la place qu'ils avaient cédée. « Oui, madame, répondit-il ; venez-vous souvent à la campagne ?

— Oh ! une fois ou deux par an seulement, pour prendre l'air ; et vous, monsieur ?

— J'y viens coucher tous les soirs.

— Ah ! ça doit être bien agréable ?

— Oui, certainement, madame. »

Et il raconta sa vie de chaque jour, poétiquement, de façon à faire vibrer dans le cœur de ces bourgeois privés d'herbe et affamés de promenades aux champs cet amour bête de la nature qui les hante toute l'année derrière le comptoir de leur boutique.

La jeune fille, émue, leva les yeux et regarda le canotier. M. Dufour parla pour la première fois. « Ça, c'est une vie », dit-il. Il ajouta : « Encore un peu de lapin, ma bonne. — Non, merci, mon ami. »

Elle se tourna de nouveau vers les jeunes gens, et montrant leurs bras : « Vous n'avez jamais froid comme ça ? » dit-elle.

Ils se mirent à rire tous les deux, et ils épouvantèrent la famille par le récit de leurs fatigues prodigieuses, de leurs bains pris en sueur, de leurs courses dans le brouillard des nuits ; et ils tapèrent violemment sur leur poitrine pour montrer quel son ça rendait. « Oh ! vous avez l'air solides », dit le mari qui ne parlait plus du temps où il rossait les Anglais.

La jeune fille les examinait de côté maintenant ; et le garçon aux cheveux jaunes, ayant bu de travers, toussa éperdument, arrosant la robe en soie cerise de la patronne qui se fâcha et fit apporter de l'eau pour laver les taches.

Cependant, la température devenait terrible. Le fleuve étincelant semblait un foyer de chaleur, et les fumées du vin troublaient les têtes.

M. Dufour, que secouait un hoquet violent, avait déboutonné son gilet et le haut de son pantalon ; tandis que sa femme, prise de suffocations, dégrafait sa robe peu à peu. L'apprenti balançait d'un air gai sa tignasse de lin et se versait à boire coup sur coup. La grand-mère, se sentant grise, se tenait fort raide et fort digne. Quant à la jeune fille, elle ne laissait rien paraître ; son œil seul s'allumait vaguement, et sa peau très brune se colorait aux joues d'une teinte plus rose.

Le café les acheva. On parla de chanter et chacun dit son couplet, que les autres applaudirent avec frénésie. Puis on se leva difficilement, et, pendant que les deux femmes, étourdies, respiraient, les deux hommes, tout à fait pochards, faisaient de la gymnastique. Lourds, flasques, et la figure écarlate, ils se pendaient gauchement aux anneaux sans parvenir à s'élever ; et leurs chemises menaçaient continuellement d'évacuer leurs pantalons pour battre au vent comme des étendards.

Cependant les canotiers avaient mis leurs yoles à l'eau, et ils revenaient avec politesse proposer aux dames une promenade sur la rivière.

« Monsieur Dufour, veux-tu ? je t'en prie ! » cria sa femme. Il la regarda d'un air d'ivrogne, sans comprendre. Alors un canotier s'approcha, deux lignes de pêcheur à la main. L'espérance de prendre du goujon, cet idéal des boutiquiers, alluma les yeux mornes du bonhomme, qui permit tout ce qu'on voulut, et s'installa à l'ombre, sous le pont, les pieds ballants au-dessus du fleuve, à côté du jeune homme aux cheveux jaunes qui s'endormit auprès de lui.

Un des canotiers se dévoua : il prit la mère. « Au petit bois de l'île aux Anglais ! » cria-t-il en s'éloignant.

L'autre yole s'en alla plus doucement. Le rameur regardait tellement sa compagne qu'il ne pensait plus à autre chose, et une émotion l'avait saisi qui paralysait sa vigueur.

La jeune fille, assise dans le fauteuil du barreur, se laissait aller à la douceur d'être sur l'eau. Elle se sentait prise d'un renoncement de pensées, d'une quiétude de ses membres, d'un abandonnement d'elle-même, comme envahie par une ivresse multiple. Elle était devenue fort rouge avec une respiration courte. Les étourdissements du vin, développés par la chaleur torrentielle qui ruisselait autour d'elle, faisaient saluer sur son passage tous les arbres de la berge. Un besoin vague de jouissance, une fermentation du sang parcouraient sa chair excitée par les ardeurs de ce jour ; et elle était aussi troublée dans ce tête-à-tête sur l'eau, au milieu de ce pays dépeuplé par l'incendie du ciel, avec ce jeune homme qui la trouvait belle, dont l'œil lui baisait la peau, et dont le désir était pénétrant comme le soleil.

Leur impuissance à parler augmentait leur émotion, et ils regardaient les environs. Alors, faisant un effort, il lui demanda son nom. « Henriette, dit-elle. — Tiens ! moi je m'appelle Henri », reprit-il.

Le son de leur voix les avait calmés ; ils s'intéressèrent à la rive. L'autre yole s'était arrêtée et paraissait les attendre. Celui qui la montait cria : « Nous vous rejoindrons dans le bois ; nous allons jusqu'à Robinson, parce que Madame a soif. » Puis il se coucha sur les avirons et s'éloigna si rapidement qu'on cessa bientôt de le voir.

Cependant un grondement continu qu'on distinguait vaguement depuis quelque temps s'approchait très vite. La rivière elle-même semblait frémir comme si le bruit sourd montait de ses profondeurs.

« Qu'est-ce qu'on entend ? » demanda-t-elle.

C'était la chute du barrage qui coupait le fleuve en deux à la pointe de l'île. Lui se perdait dans une explication, lorsque, à travers le fracas de la cascade, un chant d'oiseau qui semblait très lointain les frappa. « Tiens, dit-il, les rossignols chantent dans le jour : c'est donc que les femelles couvent. »

Un rossignol ! Elle n'en avait jamais entendu, et l'idée d'en écouter un fit se lever dans son cœur la vision des poétiques tendresses. Un rossignol! c'est-à-dire l'invisible témoin des rendez-vous d'amour qu'invoquait Juliette sur son balcon: cette musique du ciel accordée aux baisers des hommes; cet éternel inspirateur de toutes les romances langoureuses qui ouvrent un idéal bleu aux pauvres petits cœurs des fillettes attendries!

Elle allait donc entendre un rossignol.

«Ne faisons pas de bruit, dit son compagnon, nous pourrons descendre dans le bois et nous asseoir tout près de lui.»

La yole semblait glisser. Des arbres se montrèrent sur l'île, dont la berge était si basse que les yeux plongeaient dans l'épaisseur des fourrés. On s'arrêta; le bateau fut attaché; et, Henriette s'appuyant sur le bras de Henri, ils s'avancèrent entre les branches. «Courbez-vous», dit-il. Elle se courba, et ils pénétrèrent dans un inextricable fouillis de lianes, de feuilles et de roseaux, dans un asile introuvable qu'il fallait connaître et que le jeune homme appelait en riant «son cabinet particulier».

Juste au-dessus de leur tête, perché dans un des arbres qui les abritaient, l'oiseau s'égosillait toujours. Il lançait des trilles et des roulades, puis filait de grands sons vibrants qui emplissaient l'air et semblaient se perdre à l'horizon, se déroulant le long du fleuve et s'envolant au-dessus des plaines, à travers le silence de feu qui appesantissait la campagne.

Ils ne parlaient pas de peur de le faire fuir. Ils étaient assis l'un près de l'autre, et, lentement, le bras de Henri fit le tour de la taille de Henriette et l'enserra d'une pression douce. Elle prit, sans colère, cette main audacieuse, et elle l'éloignait sans cesse à mesure qu'il la rapprochait n'éprouvant du reste aucun embarras de cette caresse, comme si c'eût été une chose toute naturelle qu'elle repoussait aussi naturellement.

Elle écoutait l'oiseau, perdue dans une extase. Elle avait des désirs infinis de bonheur, des tendresses brusques qui la traversaient, des révélations de poésies surhumaines, et un tel amollissement des nerfs et du cœur, qu'elle pleurait sans savoir pourquoi. Le jeune homme la serrait contre lui maintenant; elle ne le repoussait plus, n'y pensant plus.

Le rossignol se tut soudain. Une voix éloignée cria: «Henriette!

— Ne répondez point, dit-il tout bas, vous feriez envoler l'oiseau.»

Elle ne songeait guère non plus à répondre.

Ils restèrent quelque temps ainsi. Mme Dufour était assise quelque part, car on entendait vaguement, de temps en temps, les petits cris de la grosse dame que lutinait sans doute l'autre canotier.

La jeune fille pleurait toujours, pénétrée de sensations très douces, la peau chaude et piquée partout de chatouillements inconnus. La tête de Henri était sur son épaule ; et, brusquement, il la baisa sur les lèvres. Elle eut une révolte furieuse et, pour l'éviter, se rejeta sur le dos. Mais il s'abattit sur elle, la couvrant de tout son corps. Il poursuivit longtemps cette bouche qui le fuyait, puis, la joignant, y attacha la sienne. Alors, affolée par un désir formidable, elle lui rendit son baiser en l'étreignant sur sa poitrine, et toute sa résistance tomba comme écrasée par un poids trop lourd.

Tout était calme aux environs. L'oiseau se mit à chanter. Il jeta d'abord trois notes pénétrantes qui semblaient un appel d'amour, puis, après un silence d'un moment, il commença d'une voix affaiblie des modulations très lentes.

Une brise molle glissa, soulevant un murmure de feuilles, et dans la profondeur des branches passaient deux soupirs ardents qui se mêlaient au chant du rossignol et au souffle léger du bois.

Une ivresse envahissait l'oiseau, et sa voix s'accélérant peu à peu comme un incendie qui s'allume ou une passion qui grandit, semblait accompagner sous l'arbre un crépitement de baisers. Puis le délire de son gosier se déchaînait éperdument. Il avait des pâmoisons prolongées sur un trait, de grands spasmes mélodieux.

Quelquefois il se reposait un peu, filant seulement deux ou trois sons légers qu'il terminait soudain par une note suraiguë. Ou bien il partait d'une course affolée, avec des jaillissements de gammes, des frémissements, des saccades, comme un chant d'amour furieux, suivi par des cris de triomphe.

Mais il se tut, écoutant sous lui un gémissement tellement profond qu'on l'eût pris pour l'adieu d'une âme. Le bruit s'en prolongea quelque temps et s'acheva dans un sanglot.

Ils étaient bien pâles, tous les deux, en quittant leur lit de verdure. Le ciel bleu leur paraissait obscurci ; l'ardent soleil était éteint pour leurs yeux ; ils s'apercevaient de la solitude et du silence. Ils marchaient rapidement l'un près de l'autre, sans se parler, sans se toucher, car ils semblaient devenus ennemis irréconciliables, comme si un dégoût se fût élevé entre leurs corps, une haine entre leurs esprits.

De temps à autre, Henriette criait : « Maman ! »

Un tumulte se fit sous un buisson. Henri crut voir une jupe blanche qu'on rabattait vite sur un gros mollet ; et l'énorme dame apparut, un peu confuse et plus rouge encore, l'œil très brillant et la poitrine orageuse, trop près peut-être de son voisin. Celui-ci devait avoir vu des choses bien drôles, car sa figure était sillonnée de rires subits qui la traversaient malgré lui.

Mme Dufour prit son bras d'un air tendre, et l'on regagna les bateaux. Henri, qui marchait devant, toujours muet à côté de la jeune fille, crut distinguer tout à coup comme un gros baiser qu'on étouffait.

Enfin on revint à Bezons.

M. Dufour, dégrisé, s'impatientait. Le jeune homme aux cheveux jaunes mangeait un morceau avant de quitter l'auberge. La voiture était attelée dans la cour, et la grand-mère, déjà montée, se désolait parce qu'elle avait peur d'être prise par la nuit dans la plaine, les environs de Paris n'étant pas sûrs.

On se donna des poignées de main, et la famille Dufour s'en alla. « Au revoir ! » criaient les canotiers. Un soupir et une larme leur répondirent.

Deux mois après, comme il passait rue des Martyrs, Henri lut sur une porte : *Dufour, quincaillier.*

Il entra.

La grosse dame s'arrondissait au comptoir. On se reconnut aussitôt, et, après mille politesses, il demanda des nouvelles. « Et Mlle Henriette, comment va-t-elle ?

— Très bien, merci, elle est mariée.

— Ah !... »

Une émotion l'étreignit ; il ajouta :

« Et... avec qui ?

— Mais avec le jeune homme qui nous accompagnait, vous savez bien ; c'est lui qui prend la suite.

— Oh ! parfaitement. »

Il s'en allait fort triste, sans trop savoir pourquoi, Mme Dufour le rappela.

« Et votre ami ? dit-elle timidement.

— Mais il va bien.

— Faites-lui nos compliments, n'est-ce pas ; et quand il passera, dites-lui donc de venir nous voir... »

Elle rougit fort, puis ajouta : « Ça me fera bien plaisir ; dites-lui.

— Je n'y manquerai pas. Adieu !

— Non... à bientôt ! »

L'année suivante, un dimanche qu'il faisait très chaud, tous les détails de cette aventure, que Henri n'avait jamais oubliée, lui revinrent subitement, si nets et si désirables, qu'il retourna tout seul à leur chambre dans le bois.

Il fut stupéfait en entrant. Elle était là, assise sur l'herbe, l'air triste, tandis qu'à son côté, toujours en manches de chemise, son mari, le jeune homme aux cheveux jaunes, dormait consciencieusement comme une brute.

Elle devint si pâle en voyant Henri qu'il crut qu'elle allait défaillir. Puis ils se mirent à causer naturellement, de même que si rien ne se fût passé entre eux.

Mais comme il lui racontait qu'il aimait beaucoup cet endroit et qu'il y venait souvent se reposer, le dimanche, en songeant à bien des souvenirs, elle le regarda longuement dans les yeux.

« Moi, j'y pense tous les soirs, dit-elle.

— Allons, ma bonne, reprit en bâillant son mari, je crois qu'il est temps de nous en aller. »

(1881)

SUR L'EAU

J'avais loué, l'été dernier, une petite maison de campagne au bord de la Seine, à plusieurs lieues de Paris, et j'allais y coucher tous les soirs. Je fis, au bout de quelques jours, la connaissance d'un de mes voisins, un homme de trente à quarante ans, qui était bien le type le plus curieux que j'eusse jamais vu. C'était un vieux canotier, mais un canotier enragé, toujours près de l'eau, toujours sur l'eau, toujours dans l'eau. Il devait être né dans un canot, et il mourra bien certainement dans le canotage final.

Un soir que nous nous promenions au bord de la Seine, je lui demandai de me raconter quelques anecdotes de sa vie nautique. Voilà immédiatement mon bonhomme qui s'anime, se transfigure, devient éloquent, presque poète. Il avait dans le cœur une grande passion, une passion dévorante, irrésistible : la rivière.

« Ah ! me dit-il, combien j'ai de souvenirs sur cette rivière que vous voyez couler là près de nous ! Vous autres, habitants des rues, vous ne savez pas ce qu'est la rivière. Mais écoutez un pêcheur prononcer ce mot. Pour lui, c'est la chose mystérieuse, profonde, inconnue, le pays des mirages et des fantasmagories, où l'on voit, la nuit, des choses qui ne sont pas, où l'on entend des bruits que l'on ne connaît point, où l'on tremble sans savoir pourquoi, comme en traversant un cimetière : et c'est en effet le plus sinistre des cimetières, celui où l'on n'a point de tombeau.

« La terre est bornée pour le pêcheur et dans l'ombre, quand il n'y a pas de lune, la rivière est illimitée. Un marin n'éprouve point la même chose pour la mer. Elle est souvent dure et méchante, c'est vrai, mais elle crie, elle hurle, elle est loyale, la grande mer ; tandis que la rivière est silencieuse et perfide. Elle ne gronde pas, elle coule toujours sans bruit et ce mouvement éternel de l'eau qui coule est plus effrayant pour moi que les hautes vagues de l'Océan.

« Des rêveurs prétendent que la mer cache dans son sein

d'immenses pays bleuâtres, où les noyés roulent parmi les grands poissons, au milieu d'étranges forêts et dans des grottes de cristal. La rivière n'a que des profondeurs noires où l'on pourrit dans la vase. Elle est belle pourtant quand elle brille au soleil levant et qu'elle clapote doucement entre ses berges couvertes de roseaux qui murmurent.

« Le poète a dit en parlant de l'Océan :

Ô flots, que vous savez de lugubres histoires !
Flots profonds, redoutés des mères à genoux,
Vous vous les racontez en montant les marées
Et c'est ce qui vous fait ces voix désespérées
Que vous avez, le soir, quand vous venez vers nous.

« Eh bien, je crois que les histoires chuchotées par les roseaux minces avec leurs petites voix si douces doivent être encore plus sinistres que les drames lugubres racontés par les hurlements des vagues.

« Mais puisque vous me demandez quelques-uns de mes souvenirs, je vais vous dire une singulière aventure qui m'est arrivée ici, il y a une dizaine d'années.

« J'habitais, comme aujourd'hui, la maison de la mère Lafon, et un de mes meilleurs camarades, Louis Bernet, qui a maintenant renoncé au canotage, à ses pompes et à son débraillé pour entrer au Conseil d'Etat, était installé au village de C..., deux lieues plus bas. Nous dînions tous les jours ensemble, tantôt chez lui, tantôt chez moi.

« Un soir, comme je revenais tout seul et assez fatigué, traînant péniblement mon gros bateau, un *océan* de douze pieds, dont je me servais toujours la nuit, je m'arrêtai quelques secondes pour reprendre haleine auprès de la pointe des roseaux, là-bas, deux cents mètres environ avant le pont du chemin de fer. Il faisait un temps magnifique ; la lune resplendissait, le fleuve brillait, l'air était calme et doux. Cette tranquillité me tenta ; je me dis qu'il ferait bien bon fumer une pipe en cet endroit. L'action suivit la pensée ; je saisis mon ancre et la jetai dans la rivière.

« Le canot, qui redescendait avec le courant, fila sa chaîne jusqu'au bout, puis s'arrêta ; et je m'assis à l'arrière sur ma peau de mouton aussi commodément qu'il me fut possible. On n'entendait rien, rien : parfois seulement, je croyais saisir un petit clapotement presque insensible de l'eau contre la rive, et j'apercevais des groupes de roseaux plus élevés qui prenaient des figures surprenantes et semblaient par moments s'agiter.

« Le fleuve était parfaitement tranquille, mais je me sentis ému par le silence extraordinaire qui m'entourait. Toutes les bêtes, grenouilles et crapauds, ces chanteurs nocturnes des marécages, se taisaient. Soudain, à ma droite, contre moi, une grenouille coassa. Je tressaillis : elle se tut ; je n'entendis plus rien, et je résolus de fumer un peu pour me distraire. Cependant, quoique je fusse un culotteur de pipes renommé, je ne pus pas ; dès la seconde bouffée, le cœur me tourna et je cessai. Je me mis à chantonner ; le son de ma voix m'était pénible ; alors, je m'étendis au fond du bateau et je regardai le ciel. Pendant quelque temps, je demeurai tranquille, mais bientôt les légers mouvements de la barque m'inquiétèrent. Il me sembla qu'elle faisait des embardées gigantesques, touchant tour à tour les deux berges du fleuve ; puis je crus qu'un être ou qu'une force invisible l'attirait doucement au fond de l'eau et la soulevait ensuite pour la laisser retomber. J'étais ballotté comme au milieu d'une tempête ; j'entendis des bruits autour de moi ; je me dressai d'un bond : l'eau brillait, tout était calme.

« Je compris que j'avais les nerfs un peu ébranlés et je résolus de m'en aller. Je tirai sur ma chaîne ; le canot se mit en mouvement, puis je sentis une résistance, je tirai plus fort, l'ancre ne vint pas ; elle avait accroché quelque chose au fond de l'eau et je ne pouvais la soulever ; je recommençai à tirer, mais inutilement. Alors, avec mes avirons, je fis tourner mon bateau et je le portai en amont pour changer la position de l'ancre. Ce fut en vain, elle tenait toujours ; je fus pris de colère et je secouai la chaîne rageusement. Rien ne remua. Je m'assis découragé et je me mis à réfléchir sur ma position. Je ne pouvais songer à casser cette chaîne ni à la séparer de l'embarcation, car elle était énorme et rivée à l'avant dans un morceau de bois plus gros que mon bras ; mais comme le temps demeurait fort beau, je pensai que je ne tarderais point, sans doute, à rencontrer quelque pêcheur qui viendrait à mon secours. Ma mésaventure m'avait calmé ; je m'assis et je pus enfin fumer ma pipe. Je possédais une bouteille de rhum, j'en bus deux ou trois verres, et ma situation me fit rire. Il faisait très chaud, de sorte qu'à la rigueur je pouvais, sans grand mal, passer la nuit à la belle étoile.

« Soudain, un petit coup sonna contre mon bordage. Je fis un soubresaut, et une sueur froide me glaça des pieds à la tête. Ce bruit venait sans doute de quelque bout de bois entraîné par le courant, mais cela avait suffi et je me sentis envahi de nouveau par une étrange agitation nerveuse. Je saisis ma chaîne et je me raidis dans un effort désespéré. L'ancre tint bon. Je me rassis épuisé.

« Cependant, la rivière s'était peu à peu couverte d'un brouillard blanc très épais qui rampait sur l'eau fort bas, de sorte que, en me dressant debout, je ne voyais plus le fleuve, ni mes pieds, ni mon bateau, mais j'apercevais seulement les pointes des roseaux, puis, plus loin, la plaine toute pâle de la lumière de la lune, avec de grandes taches noires qui montaient dans le ciel, formées par des groupes de peupliers d'Italie. J'étais comme enseveli jusqu'à la ceinture dans une nappe de coton d'une blancheur singulière, et il me venait des imaginations fantastiques. Je me figurais qu'on essayait de monter dans ma barque que je ne pouvais plus distinguer, et que la rivière, cachée par ce brouillard opaque, devait être pleine d'êtres étranges qui nageaient autour de moi. J'éprouvais un malaise horrible, j'avais les tempes serrées, mon cœur battait à m'étouffer ; et, perdant la tête, je pensai à me sauver à la nage, puis aussitôt cette idée me fit frissonner d'épouvante. Je me vis, perdu, allant à l'aventure dans cette brume épaisse, me débattant au milieu des herbes et des roseaux que je ne pourrais éviter, râlant de peur, ne voyant pas la berge, ne retrouvant plus mon bateau, et il me semblait que je me sentirais tiré par les pieds tout au fond de cette eau noire.

« En effet, comme il m'eût fallu remonter le courant au moins pendant cinq cents mètres avant de trouver un point libre d'herbes et de joncs où je pusse prendre pied, il y avait pour moi neuf chances sur dix de ne pouvoir me diriger dans ce brouillard et de me noyer, quelque bon nageur que je fusse.

« J'essayai de me raisonner. Je me sentais la volonté bien ferme de ne point avoir peur, mais il y avait en moi autre chose que ma volonté, et cette autre chose avait peur. Je me demandai ce que je pouvais redouter, mon *moi* brave railla mon *moi* poltron, et jamais aussi bien que ce jour-là je ne saisis l'opposition des deux êtres qui sont en nous, l'un voulant, l'autre résistant, et chacun l'emportant tour à tour.

« Cet effroi bête et inexplicable grandissait toujours et devenait de la terreur. Je demeurais immobile, les yeux ouverts, l'oreille tendue et attendant. Quoi ? Je n'en savais rien, mais ce devait être terrible. Je crois que si un poisson se fût avisé de sauter hors de l'eau, comme cela arrive souvent, il n'en aurait pas fallu davantage pour me faire tomber raide, sans connaissance.

« Cependant, par un effort violent, je finis par ressaisir à peu près ma raison qui m'échappait. Je pris de nouveau ma bouteille de rhum et je bus à grands traits. Alors une idée me vint et je me mis à crier de toutes mes forces en me tournant successivement vers les quatre points de l'horizon. Lorsque mon gosier fut absolument paralysé, j'écoutai. — Un chien hurlait, très loin.

« Je bus encore et je m'étendis tout de mon long au fond du bateau. Je restai ainsi peut-être une heure, peut-être deux, sans dormir, les yeux ouverts, avec des cauchemars autour de moi. Je n'osais pas me lever et pourtant je le désirais violemment ; je remettais de minute en minute. Je me disais : "Allons, debout !" et j'avais peur de faire un mouvement. A la fin, je me soulevai avec des précautions infinies, comme si ma vie eût dépendu du moindre bruit que j'aurais fait, et je regardai par-dessus le bord.

« Je fus ébloui par le plus merveilleux, le plus étonnant spectacle qu'il soit possible de voir. C'était une de ces fantasmagories du pays des fées, une de ces visions racontées par les voyageurs qui reviennent de très loin et que nous écoutons sans les croire.

« Le brouillard qui, deux heures auparavant, flottait sur l'eau, s'était peu à peu retiré et ramassé sur les rives. Laissant le fleuve absolument libre, il avait formé sur chaque berge une colline ininterrompue, haute de six ou sept mètres, qui brillait sous la lune avec l'éclat superbe des neiges. De sorte qu'on ne voyait rien autre chose que cette rivière lamée de feu entre ces deux montagnes blanches ; et là-haut, sur ma tête, s'étalait, pleine et large, une grande lune illuminante au milieu d'un ciel bleuâtre et laiteux.

« Toutes les bêtes de l'eau s'étaient réveillées, les grenouilles coassaient furieusement, tandis que, d'instant en instant, tantôt à droite, tantôt à gauche, j'entendais cette note courte, monotone et triste, que jette aux étoiles la voix cuivrée des crapauds. Chose étrange, je n'avais plus peur ; j'étais au milieu d'un paysage tellement extraordinaire que les singularités les plus fortes n'eussent pu m'étonner.

« Combien de temps cela dura-t-il, je n'en sais rien, car j'avais fini par m'assoupir. Quand je rouvris les yeux, la lune était couchée, le ciel plein de nuages. L'eau clapotait lugubrement, le vent soufflait, il faisait froid, l'obscurité était profonde.

« Je bus ce qui me restait de rhum, puis j'écoutai en grelottant le froissement des roseaux et le bruit sinistre de la rivière. Je cherchai à voir, mais je ne pus distinguer mon bateau, ni mes mains elles-mêmes, que j'approchais de mes yeux.

« Peu à peu, cependant, l'épaisseur du noir diminua. Soudain je crus sentir qu'une ombre glissait tout près de moi ; je poussai un cri, une voix répondit ; c'était un pêcheur. Je l'appelai, il s'approcha et je lui racontai ma mésaventure. Il mit alors son bateau bord à bord avec le mien, et tous les deux nous tirâmes sur la chaîne. L'ancre ne remua pas. Le jour venait, sombre, gris, pluvieux, glacial, une de ces journées qui vous apportent des tristesses et des malheurs. J'aperçus une autre barque, nous la hélâmes. L'homme qui la montait unit ses efforts aux nôtres ; alors, peu à peu, l'ancre céda. Elle montait, mais doucement doucement, et chargée d'un poids considérable. Enfin nous aperçûmes une masse noire, et nous la tirâmes à mon bord :

« C'était le cadavre d'une vieille femme qui avait une grosse pierre au cou. »

HISTOIRE
D'UNE FILLE DE FERME

I

Comme le temps était fort beau, les gens de la ferme avaient dîné plus vite que de coutume et s'en étaient allés dans les champs.

Rose, la servante, demeura toute seule au milieu de la vaste cuisine où un reste de feu s'éteignait dans l'âtre sous la marmite pleine d'eau chaude. Elle puisait à cette eau par moments et lavait lentement sa vaisselle, s'interrompant pour regarder deux carrés lumineux que le soleil, à travers la fenêtre, plaquait sur la longue table, et dans lesquels apparaissaient les défauts des vitres.

Trois poules très hardies cherchaient des miettes sous les chaises. Des odeurs de basse-cour, des tiédeurs fermentées d'étable entraient par la porte entrouverte ; et dans le silence du midi brûlant on entendait chanter les coqs.

Quand la fille eut fini sa besogne, essuyé la table, nettoyé la cheminée et rangé les assiettes sur le haut dressoir au fond près de l'horloge en bois au tic-tac sonore, elle respira, un peu étourdie, oppressée sans savoir pourquoi. Elle regarda les murs d'argile noircis, les poutres enfumées du plafond où pendaient des toiles d'araignée, des harengs saurs et des rangées d'oignons ; puis elle s'assit, gênée par les émanations anciennes que la chaleur de ce jour faisait sortir de la terre battue du sol où avaient séché tant de choses répandues depuis si longtemps. Il s'y mêlait aussi la saveur âcre du laitage qui crémait au frais dans la pièce à côté. Elle voulut cependant se mettre à coudre comme elle en avait l'habitude, mais la force lui manqua et elle alla respirer sur le seuil.

Alors, caressée par l'ardente lumière, elle sentit une douceur qui lui pénétrait au cœur, un bien-être coulant dans ses membres.

Devant la porte, le fumier dégageait sans cesse une petite vapeur miroitante. Les poules se vautraient dessus, couchées sur le flanc, et grattaient un peu d'une seule patte pour trouver des vers. Au milieu d'elles, le coq, superbe, se dressait. A chaque instant il en choisissait une et tournait autour avec un petit gloussement d'appel. La poule se levait nonchalamment et le recevait d'un air tranquille, pliant les pattes et le supportant sur ses ailes; puis elle secouait ses plumes d'où sortait de la poussière et s'étendait de nouveau sur le fumier, tandis que lui chantait, comptant ses triomphes; et dans toutes les cours tous les coqs lui répondaient, comme si, d'une ferme à l'autre, ils se fussent renvoyé des défis amoureux.

La servante les regardait sans penser; puis elle leva les yeux et fut éblouie par l'éclat des pommiers en fleur, tout blancs comme des têtes poudrées.

Soudain un jeune poulain, affolé de gaieté, passa devant elle en galopant. Il fit deux fois le tour des fossés plantés d'arbres, puis s'arrêta brusquement et tourna la tête comme étonné d'être seul.

Elle aussi se sentait une envie de courir, un besoin de mouvement et, en même temps, un désir de s'étendre, d'allonger ses membres, de se reposer dans l'air immobile et chaud. Elle fit quelques pas, indécise, fermant les yeux, saisie par un bien-être bestial; puis, tout doucement, elle alla chercher les œufs au poulailler. Il y en avait treize, qu'elle prit et rapporta. Quand ils furent serrés dans le buffet, les odeurs de la cuisine l'incommodèrent de nouveau et elle sortit pour s'asseoir un peu sur l'herbe.

La cour de la ferme, enfermée par les arbres, semblait dormir. L'herbe haute, où les pissenlits jaunes éclataient comme des lumières, était d'un vert puissant, d'un vert tout neuf de printemps. L'ombre des pommiers se ramassait en rond à leurs pieds; et les toits de chaume des bâtiments, au sommet desquels poussaient des iris aux feuilles pareilles à des sabres, fumaient un peu comme si l'humidité des écuries et des granges se fût envolée à travers la paille.

La servante arriva sous le hangar où l'on rangeait les chariots et les voitures. Il y avait là, dans le creux du fossé, un grand trou vert plein de violettes dont l'odeur se répandait, et, par-dessus le talus, on apercevait la campagne, une vaste plaine où poussaient les récoltes, avec des bouquets d'arbres par endroits, et, de place en place, des groupes de travailleurs lointains, tout petits comme des poupées, des chevaux blancs pareils à des jouets, traînant une charrue d'enfant poussée par un bonhomme haut comme le doigt.

Elle alla prendre une botte de paille dans un grenier et la jeta dans ce trou pour s'asseoir dessus ; puis, n'étant pas à son aise, elle défit le lien, éparpilla son siège et s'étendit sur le dos, les deux bras sous la tête et les jambes allongées.

Tout doucement elle fermait les yeux, assoupie dans une mollesse délicieuse. Elle allait même s'endormir tout à fait, quand elle sentit deux mains qui lui prenaient la poitrine, et elle se redressa d'un bond. C'était Jacques, le garçon de ferme, un grand Picard bien découplé, qui la courtisait depuis quelque temps. Il travaillait ce jour-là dans la bergerie, et, l'ayant vue s'étendre à l'ombre, il était venu à pas de loup, retenant son haleine, les yeux brillants, avec des brins de paille dans les cheveux.

Il essaya de l'embrasser, mais elle le gifla, forte comme lui ; et, sournois, il demanda grâce. Alors ils s'assirent l'un près de l'autre et ils causèrent amicalement. Ils parlèrent du temps qui était favorable aux moissons, de l'année qui s'annonçait bien, de leur maître, un brave homme, puis des voisins, du pays tout entier, d'eux-mêmes, de leur village, de leur jeunesse, de leurs souvenirs, des parents qu'ils avaient quittés pour longtemps, pour toujours peut-être. Elle s'attendrit en pensant à cela, et lui, avec son idée fixe, se rapprochait, se frottait contre elle, frémissant, tout envahi par le désir. Elle disait :

« Y a bien longtemps que je n'ai vu maman ; c'est dur tout de même d'être séparées tant que ça. »

Et son œil perdu regardait au loin, à travers l'espace jusqu'au village abandonné là-bas, là-bas, vers le nord.

Lui, tout à coup, la saisit par le cou et l'embrassa de nouveau ; mais, de son poing fermé, elle le frappa en pleine figure si violemment qu'il se mit à saigner du nez ; et il se leva pour aller appuyer sa tête contre un tronc d'arbre. Alors elle fut attendrie et, se rapprochant de lui, elle demanda :

« Ça te fait mal ? »

Mais il se mit à rire. Non, ce n'était rien ; seulement elle avait tapé juste sur le milieu. Il murmurait : « Cré coquin ! » et il la regardait avec admiration, pris d'un respect, d'une affection tout autre, d'un commencement d'amour vrai pour cette grande gaillarde si solide.

Quand le sang eut cessé de couler, il lui proposa de faire un tour, craignant, s'ils restaient ainsi côte à côte, la rude poigne de sa voisine. Mais d'elle-même elle lui prit le bras comme font les promis le soir, dans l'avenue, et elle lui dit :

« Ça n'est pas bien, Jacques, de me mépriser comme ça. »

Il protesta. Non, il ne la méprisait pas, mais il était amoureux, voilà tout.

« Alors, tu me veux bien en mariage ? » dit-elle.

Il hésita, puis il se mit à la regarder de côté pendant qu'elle tenait ses yeux perdus au loin devant elle. Elle avait les joues rouges et pleines, une large poitrine saillante sous l'indienne de son caraco, de grosses lèvres fraîches, et sa gorge, presque nue, était semée de petites gouttes de sueur. Il se sentit repris d'envie, et, la bouche dans son oreille, il murmura :

« Oui, je veux bien. »

Alors elle lui jeta ses bras au cou et elle l'embrassa si longtemps qu'ils en perdaient haleine tous les deux.

De ce moment commença entre eux l'éternelle histoire de l'amour. Ils se lutinaient dans les coins ; ils se donnaient des rendez-vous au clair de la lune, à l'abri d'une meule de foin, et ils se faisaient des bleus aux jambes, sous la table, avec leurs gros souliers ferrés. Puis, peu à peu, Jacques parut s'ennuyer d'elle ; il l'évitait, ne lui parlait plus guère, ne cherchait plus à la rencontrer seule. Alors elle fut envahie par des doutes et une grande tristesse ; et, au bout de quelque temps, elle s'aperçut qu'elle était enceinte.

Elle fut consternée d'abord, puis une colère lui vint, plus forte chaque jour, parce qu'elle ne parvenait point à le trouver, tant il l'évitait avec soin.

Enfin, une nuit, comme tout le monde dormait dans la ferme, elle sortit sans bruit, en jupon, pieds nus, traversa la cour et poussa la porte de l'écurie où Jacques était couché dans une grande boîte pleine de paille au-dessus de ses chevaux. Il fit semblant de ronfler en l'entendant venir ; mais elle se hissa près de lui, et, à genoux à son côté, le secoua jusqu'à ce qu'il se dressât.

Quand il se fut assis, demandant : « Qu'est-ce que tu veux ? » elle prononça, les dents serrées, tremblant de fureur : « Je veux, je veux que tu m'épouses, puisque tu m'as promis le mariage. » Il se mit à rire et répondit : « Ah bien ! si on épousait toutes les filles avec qui on a fauté, ça ne serait pas à faire. »

Mais elle le saisit à la gorge, le renversa sans qu'il pût se débarrasser de son étreinte farouche, et, l'étranglant, elle lui cria tout près, dans la figure : « Je suis grosse, entends-tu, je suis grosse. »

Il haletait, suffoquant ; et ils restaient là tous deux, immobiles, muets dans le silence noir troublé seulement par le bruit de mâchoire d'un cheval qui tirait sur la paille du râtelier, puis la broyait avec lenteur.

Quand Jacques comprit qu'elle était la plus forte, il balbutia :

« Eh bien, je t'épouserai, puisque c'est ça. »

Mais elle ne croyait plus à ses promesses.

« Tout de suite, dit-elle ; tu feras publier les bans. »

Il répondit :

« Tout de suite.

— Jure-le sur le bon Dieu. »

Il hésita pendant quelques secondes, puis, prenant son parti :

« Je le jure sur le bon Dieu. »

Alors elle ouvrit les doigts et, sans ajouter une parole, s'en alla.

Elle fut quelques jours sans pouvoir lui parler, et l'écurie se trouvant désormais fermée à clef toutes les nuits, elle n'osait pas faire de bruit de crainte du scandale.

Puis, un matin, elle vit entrer à la soupe un autre valet. Elle demanda :

« Jacques est parti ?

— Mais oui, dit l'autre, je suis à sa place. »

Elle se mit à trembler si fort, qu'elle ne pouvait décrocher sa marmite ; puis, quand tout le monde fut au travail, elle monta dans sa chambre et pleura, la face dans son traversin, pour n'être pas entendue.

Dans la journée, elle essaya de s'informer sans éveiller les soupçons ; mais elle était tellement obsédée par la pensée de son malheur qu'elle croyait voir rire malicieusement tous les gens qu'elle interrogeait. Du reste, elle ne put rien apprendre, sinon qu'il avait quitté le pays tout à fait.

II

Alors commença pour elle une vie de torture continuelle. Elle travaillait comme une machine, sans s'occuper de ce qu'elle faisait, avec cette idée fixe en tête : « Si on le savait ! »

Cette obsession constante la rendait tellement incapable de raisonner qu'elle ne cherchait même pas les moyens d'éviter ce scandale qu'elle sentait venir, se rapprochant chaque jour, irréparable, et sûr comme la mort.

Elle se levait tous les matins bien avant les autres et, avec une persistance acharnée, essayait de regarder sa taille dans un petit morceau de glace cassée qui lui servait à se peigner, très anxieuse de savoir si ce n'était pas aujourd'hui qu'on s'en apercevrait.

Et, pendant le jour, elle interrompait à tout instant son travail, pour considérer du haut en bas si l'ampleur de son ventre ne soulevait pas trop son tablier.

Les mois passaient. Elle ne parlait presque plus et, quand on lui demandait quelque chose, ne comprenait pas, effarée, l'œil hébété, les mains tremblantes ; ce qui faisait dire à son maître :

« Ma pauvre fille, que t'es sotte depuis quelque temps ! »

A l'église, elle se cachait derrière un pilier, et n'osait plus aller à confesse, redoutant beaucoup la rencontre du curé, à qui elle prêtait un pouvoir surhumain lui permettant de lire dans les consciences.

A table, les regards de ses camarades la faisaient maintenant défaillir d'angoisse, et elle s'imaginait toujours être découverte par le vacher, un petit gars précoce et sournois dont l'œil luisant ne la quittait pas.

Un matin, le facteur lui remit une lettre. Elle n'en avait jamais reçu et resta tellement bouleversée qu'elle fut obligée de s'asseoir. C'était de lui, peut-être ? Mais, comme elle ne savait pas lire, elle restait anxieuse, tremblante, devant ce papier couvert d'encre. Elle le mit dans sa poche, n'osant confier son secret à personne ; et souvent elle s'arrêtait de travailler pour regarder longtemps ces lignes également espacées qu'une signature terminait, s'imaginant vaguement qu'elle allait tout à coup en découvrir le sens. Enfin, comme elle devenait folle d'impatience et d'inquiétude, elle alla trouver le maître d'école qui la fit asseoir et lut :

« *Ma chère fille, la présente est pour te dire que je suis bien bas ; notre voisin, maître Dentu, a pris la plume pour te mander de venir si tu peux.*

« *Pour ta mère affectionnée,*

« Césaire DENTU, *adjoint.* »

Elle ne dit pas mot et s'en alla ; mais, sitôt qu'elle fut seule, elle s'affaissa au bord du chemin, les jambes rompues ; et elle resta là jusqu'à la nuit.

En rentrant, elle raconta son malheur au fermier qui la

laissa partir pour autant de temps qu'elle voudrait, promettant de faire faire sa besogne par une fille de journée et de la reprendre à son retour.

Sa mère était à l'agonie ; elle mourut le jour même de son arrivée ; et, le lendemain, Rose accouchait d'un enfant de sept mois, un petit squelette affreux, maigre à donner des frissons, et qui semblait souffrir sans cesse, tant il crispait douloureusement ses pauvres mains décharnées comme des pattes de crabe.

Il vécut cependant.

Elle raconta qu'elle était mariée, mais qu'elle ne pouvait se charger du petit ; et elle le laissa chez des voisins qui promirent d'en avoir bien soin.

Elle revint.

Mais alors, en son cœur si longtemps meurtri, se leva, comme une aurore, un amour inconnu pour ce petit être chétif qu'elle avait laissé là-bas ; et cet amour même était une souffrance nouvelle, une souffrance de toutes les heures, de toutes les minutes, puisqu'elle était séparée de lui.

Ce qui la martyrisait surtout, c'était un besoin fou de l'embrasser, de l'étreindre en ses bras, de sentir contre sa chair la chaleur de son petit corps. Elle ne dormait plus la nuit ; elle y pensait tout le jour ; et, le soir, son travail fini, elle s'asseyait devant le feu, qu'elle regardait fixement comme les gens qui pensent au loin.

On commençait même à jaser à son sujet, et on la plaisantait sur l'amoureux qu'elle devait avoir, lui demandant s'il était beau, s'il était grand, s'il était riche, à quand la noce, à quand le baptême ? Et elle se sauvait souvent pour pleurer toute seule, car ces questions lui entraient dans la peau comme des épingles.

Pour se distraire de ces tracasseries, elle se mit à l'ouvrage avec fureur, et, songeant toujours à son enfant, elle chercha les moyens d'amasser pour lui beaucoup d'argent.

Elle résolut de travailler si fort qu'on serait obligé d'augmenter ses gages.

Alors, peu à peu, elle accapara la besogne autour d'elle, fit renvoyer une servante qui devenait inutile depuis qu'elle peinait autant que deux, économisa sur le pain, sur l'huile et sur la chandelle, sur le grain qu'on jetait trop largement aux poules, sur le fourrage des bestiaux qu'on gaspillait un peu. Elle se montra avare de l'argent du maître comme si c'eût été le sien, et, à force de faire des marchés avantageux, de vendre cher ce qui sortait de la maison et de déjouer les ruses des paysans qui offraient leurs produits, elle eut seule le soin des achats et des ventes, la direction du travail des gens de peine, le compte des provisions ; et, en peu de temps, elle devint indispensable. Elle exerçait une telle surveillance autour d'elle, que la ferme, sous sa direction, prospéra prodigieusement. On parlait à deux lieues à la ronde de la « servante à maître Vallin » ; et le fermier répétait partout : « Cette fille-là ça vaut mieux que de l'or. »

Cependant, le temps passait et ses gages restaient les mêmes. On acceptait son travail forcé comme une chose due par toute servante dévouée, une simple marque de bonne volonté ; et elle commença à songer avec un peu d'amertume que si le fermier encaissait, grâce à elle, cinquante ou cent écus de supplément tous les mois, elle continuait à gagner ses 240 francs par an, rien de plus, rien de moins.

Elle résolut de réclamer une augmentation. Trois fois elle alla trouver le maître et, arrivée devant lui, parla d'autre chose. Elle ressentait une sorte de pudeur à solliciter de l'argent, comme si c'eût été une action un peu honteuse. Enfin, un jour que le fermier déjeunait seul dans la cuisine, elle lui dit d'un air embarrassé qu'elle désirait lui parler particulièrement. Il leva la tête, surpris, les deux mains sur la table, tenant de l'une son couteau, la pointe en l'air, et de l'autre une bouchée de pain, et il regarda fixement la servante. Elle se troubla sous son regard et demanda huit jours pour aller au pays parce qu'elle était un peu malade.

Il les lui accorda tout de suite ; puis, embarrassé lui-même, il ajouta :

« Moi aussi, j'aurai à te parler, quand tu seras revenue. »

III

L'enfant allait avoir huit mois : elle ne le reconnut point. Il était devenu tout rose, joufflu, potelé partout, pareil à un petit paquet de graisse vivante. Ses doigts, écartés par des bourrelets de chair, remuaient doucement dans une satisfaction visible. Elle se jeta dessus comme sur une proie, avec un emportement de bête, et elle l'embrassa si violemment qu'il se prit à hurler de peur. Alors elle se mit elle-même à pleurer parce qu'il ne la reconnaissait pas et qu'il tendait ses bras vers sa nourrice aussitôt qu'il l'apercevait.

Dès le lendemain cependant il s'accoutuma à sa figure, et il riait en la voyant. Elle l'emportait dans la campagne, courait affolée en le tenant au bout de ses mains, s'asseyait sous l'ombre des arbres, puis, pour la première fois de sa vie, et bien qu'il ne l'entendît point, elle ouvrait son cœur à quelqu'un, lui racontait ses chagrins, ses travaux, ses soucis, ses espérances, et elle le fatiguait sans cesse par la violence et l'acharnement de ses caresses.

Elle prenait une joie infinie à le pétrir dans ses mains, à le laver, à l'habiller; et elle était même heureuse de nettoyer ses saletés d'enfant, comme si ces soins intimes eussent été une confirmation de sa maternité. Elle le considérait, s'étonnant qu'il fût à elle, et elle se répétait à demi-voix, en le faisant danser dans ses bras: «C'est mon petiot, c'est mon petiot.»

Elle sanglota toute la route en retournant à la ferme, et elle était à peine revenue que son maître l'appela dans sa chambre. Elle s'y rendit, très étonnée et fort émue sans savoir pourquoi.

«Assieds-toi là», dit-il.

Elle s'assit et ils restèrent pendant quelques instants à côté l'un de l'autre, embarrassés tous les deux, les bras inertes et encombrants, et sans se regarder en face, à la façon des paysans.

Le fermier, gros homme de quarante-cinq ans, deux fois veuf, jovial et têtu, éprouvait une gêne évidente qui ne lui était pas ordinaire. Enfin il se décida et se mit à parler d'un air vague, bredouillant un peu et regardant au loin dans la campagne.

«Rose, dit-il, est-ce que tu n'as jamais songé à t'établir?»

Elle devint pâle comme une morte. Voyant qu'elle ne lui répondait pas, il continua:

«Tu es une brave fille, rangée, active et économe. Une femme comme toi, ça ferait la fortune d'un homme.»

Elle restait toujours immobile, l'œil effaré, ne cherchant même pas à comprendre, tant ses idées tourbillonnaient comme à l'approche d'un grand danger. Il attendit une seconde, puis continua:

«Vois-tu, une ferme sans maîtresse, ça ne peut pas aller, même avec une servante comme toi.»

Alors il se tut, ne sachant plus que dire; et Rose le regardait de l'air épouvanté d'une personne qui se croit en face d'un assassin et s'apprête à s'enfuir au moindre geste qu'il fera.

Enfin, au bout de cinq minutes, il demanda:

«Eh bien, ça te va-t-il?»

Elle répondit avec une physionomie triste:

« Quoi, not' maître ? »

Alors lui, brusquement :

« Mais de m'épouser, pardine ! »

Elle se dressa tout à coup, puis retomba comme cassée sur sa chaise, où elle demeura sans mouvement, pareille à quelqu'un qui aurait reçu le coup d'un grand malheur. Le fermier à la fin s'impatienta :

« Allons, voyons ; qu'est-ce qu'il te faut alors ? »

Elle le contemplait affolée ; puis, soudain, les larmes lui vinrent aux yeux, et elle répéta deux fois en suffoquant :

« Je ne peux pas, je ne peux pas !

— Pourquoi ça ? demanda l'homme. Allons, ne fais pas la bête ; je te donne jusqu'à demain pour réfléchir. »

Et il se dépêcha de s'en aller, très soulagé d'en avoir fini avec cette démarche qui l'embarrassait beaucoup et ne doutant pas que, le lendemain, sa servante accepterait une proposition qui était pour elle tout à fait inespérée et, pour lui, une excellente affaire, puisqu'il s'attachait ainsi à jamais une femme qui lui rapporterait certes davantage que la plus belle dot du pays.

Il ne pouvait d'ailleurs exister entre eux de scrupules de mésalliance, car, dans la campagne, tous sont à peu près égaux : le fermier laboure comme son valet qui, le plus souvent, devient maître à son tour un jour ou l'autre, et les servantes à tout moment passent maîtresse sans que cela apporte aucun changement dans leur vie ou leurs habitudes.

Rose ne se coucha pas cette nuit-là. Elle tomba assise sur son lit, n'ayant plus même la force de pleurer, tant elle était anéantie. Elle restait inerte, ne sentant plus son corps, et l'esprit dispersé, comme si quelqu'un l'eût déchiqueté avec un de ces instruments dont se servent les cardeurs pour effilocher la laine des matelas.

Par instants seulement elle parvenait à rassembler comme des bribes de réflexions, et elle s'épouvantait à la pensée de ce qui pouvait advenir.

Ses terreurs grandirent, et chaque fois que dans le silence assoupi de la maison la grosse horloge de la cuisine battait lentement les heures, il lui venait des sueurs d'angoisse. Sa tête se perdait, les cauchemars se succédaient, sa chandelle s'éteignit ; alors commença le délire, ce délire fuyant des gens de la campagne qui se croient frappés par un sort, un besoin fou de partir, de s'échapper, de courir devant le malheur comme un vaisseau devant la tempête.

Une chouette glapit ; elle tressaillit, se dressa, passa ses mains sur sa face, dans ses cheveux, se tâta le corps comme une folle; puis avec des allures de somnambule, elle descendit. Quand elle fut dans la cour, elle rampa pour n'être point vue par quelque goujat rôdeur, car la lune, près de disparaître, jetait une lueur claire dans les champs. Au lieu d'ouvrir la barrière, elle escalada le talus; puis, quand elle fut en face de la campagne, elle partit. Elle filait droit devant elle, d'un trot élastique et précipité, et, de temps en temps, inconsciemment, elle jetait un cri perçant. Son ombre, démesurée, couchée sur le sol à son côté, filait avec elle, et parfois un oiseau de nuit venait tournoyer sur sa tête. Les chiens dans les cours de fermes aboyaient en l'entendant passer; l'un d'eux sauta le fossé et la poursuivit pour la mordre; mais elle se retourna sur lui en hurlant de telle façon que l'animal épouvanté s'enfuit, se blottit dans sa loge et se tut.

Parfois une jeune famille de lièvres folâtrait dans un champ; mais, quand approchait l'enragée coureuse, pareille à une Diane en délire, les bêtes craintives se débandaient: les petits et la mère disparaissaient blottis dans un sillon, tandis que le père déboulait à toutes pattes et, parfois, faisait passer son ombre bondissante, avec ses grandes oreilles dressées, sur la lune à son coucher, qui plongeait maintenant au bout du monde et éclairait la plaine de sa lumière oblique, comme une énorme lanterne posée par terre à l'horizon.

Les étoiles s'effacèrent dans les profondeurs du ciel, quelques oiseaux pépiaient; le jour naissait. La fille, exténuée, haletait; et quand le soleil perça l'aurore empourprée, elle s'arrêta.

Ses pieds enflés se refusaient à marcher; mais elle aperçut une mare, une grande mare dont l'eau stagnante semblait du sang, sous les reflets rouges du jour nouveau, et elle alla, à petits pas, boitant, la main sur son cœur, tremper ses deux jambes dedans.

Elle s'assit sur une touffe d'herbe, ôta ses gros souliers pleins de poussière, défit ses bas, et enfonça ses mollets bleuis dans l'onde immobile où venaient parfois crever des bulles d'air.

Une fraîcheur délicieuse lui monta des talons jusqu'à la gorge; et, tout à coup, pendant qu'elle regardait fixement cette mare profonde, un vertige la saisit, un désir furieux d'y plonger tout entière. Ce serait fini de souffrir là-dedans, fini pour toujours. Elle ne pensait plus à son enfant; elle voulait la paix, le repos complet, dormir sans fin. Alors elle se dressa, les bras levés, et fit deux pas en avant. Elle enfonçait maintenant jusqu'aux cuisses, et déjà elle se précipitait, quand des piqûres ardentes aux chevilles la firent sauter en arrière, et elle poussa un cri désespéré, car depuis ses genoux jusqu'au bout de ses pieds de longues sangsues noires buvaient sa vie, se gonflaient, collées à sa chair. Elle n'osait point y toucher et hurlait d'horreur. Ses clameurs désespérées attirèrent un paysan qui passait au loin avec sa voiture. Il arracha les sangsues une à une, comprima les plaies avec des herbes et ramena la fille dans sa carriole jusqu'à la ferme de son maître.

Elle fut pendant quinze jours au lit, puis, le matin où elle se releva, comme elle était assise devant la porte, le fermier vint soudain se planter devant elle.

« Eh bien, dit-il, c'est une affaire entendue, n'est-ce pas ? »

Elle ne répondit point d'abord, puis, comme il restait debout, la perçant de son regard obstiné, elle articula péniblement :

« Non, not' maître, je ne peux pas. »

Mais il s'emporta tout à coup.

« Tu ne peux pas, la fille, tu ne peux pas, pourquoi ça ? »

Elle se remit à pleurer et répéta :

« Je ne peux pas. »

Il la dévisageait, et il lui cria dans la face :

« C'est donc que tu as un amoureux ? »

Elle balbutia, tremblant de honte :

« Peut-être bien que c'est ça. »

L'homme, rouge comme un coquelicot, bredouillait de colère :

« Ah ! tu l'avoues donc, gueuse ! Et qu'est-ce que c'est, ce merle-là ? Un va-nu-pieds, un sans-le-sou, un couche-dehors, un crève-la-faim ? Qu'est-ce que c'est, dis ! »

Et, comme elle ne répondait rien :

« Ah, tu ne veux pas... Je vas te le dire, moi : c'est Jean Baudu ? »

Elle s'écria :

« Oh ! non, pas lui.

— Alors c'est Pierre Martin ?

— Oh ! non, not' maître. »

Et il nommait éperdument tous les garçons du pays, pendant qu'elle niait, accablée, et s'essuyant les yeux à tout moment du coin de son tablier bleu. Mais lui cherchait toujours avec son obstination de brute, grattant à ce cœur pour connaître son secret, comme un chien de chasse qui fouille un terrier tout un jour pour avoir la bête qu'il sent au fond. Tout à coup l'homme s'écria :

« Eh ! pardine, c'est Jacques, le valet de l'autre année ; on disait bien qu'il te parlait et que vous vous étiez promis mariage. »

Rose suffoqua; un flot de sang empourpra sa face; ses larmes tarirent tout à coup; elles se séchèrent sur ses joues comme des gouttes d'eau sur du fer rouge. Elle s'écria :

« Non, ce n'est pas lui, ce n'est pas lui !

— Est-ce bien sûr, ça ? » demanda le paysan malin qui flairait un bout de vérité.

Elle répondit précipitamment :

« Je vous le jure, je vous le jure... »

Elle cherchait sur quoi jurer, n'osant point invoquer les choses sacrées. Il l'interrompit :

« Il te suivait pourtant dans les coins et il te mangeait des yeux pendant tous les repas. Lui as-tu promis ta foi, hein, dis ? »

Cette fois, elle regarda son maître en face.

« Non, jamais, jamais, et je vous jure par le bon Dieu que s'il venait aujourd'hui me demander, je ne voudrais pas de lui. »

Elle avait l'air tellement sincère que le fermier hésita. Il reprit, comme se parlant à lui-même :

« Alors, quoi ? Il ne t'est pourtant pas arrivé un malheur, on le saurait. Et puisqu'il n'y a pas eu de conséquence, une fille ne refuserait pas son maître à cause de ça. Il faut pourtant qu'il y ait quelque chose. »

Elle ne répondait plus rien, étranglée par une angoisse.

Il demanda encore : « Tu ne veux point ? »

Elle soupira : « Je n'peux pas, not' maître. » Et il tourna les talons.

Elle se crut débarrassée et passa le reste du jour à peu près tranquille, mais aussi rompue et exténuée que si, à la place du vieux cheval blanc, on lui eût fait tourner depuis l'aurore la machine à battre le grain.

Elle se coucha sitôt qu'elle le put et s'endormit tout d'un coup.

Vers le milieu de la nuit, deux mains qui palpaient son lit la réveillèrent. Elle tressauta de frayeur, mais elle reconnut aussitôt la voix du fermier qui lui disait :

« N'aie pas peur, Rose, c'est moi qui viens pour te parler. » Elle fut d'abord étonnée ; puis, comme il essayait de pénétrer sous ses draps, elle comprit ce qu'il cherchait et se mit à trembler très fort, se sentant seule dans l'obscurité, encore lourde de sommeil, et toute nue, et dans un lit, auprès de cet homme qui la voulait. Elle ne consentait pas, pour sûr, mais elle résistait nonchalamment, luttant elle-même contre l'instinct toujours plus puissant chez les natures simples, et mal protégée par la volonté indécise de ces races inertes et molles. Elle tournait sa tête, tantôt vers le mur, tantôt vers la chambre, pour éviter les caresses dont la bouche du fermier poursuivait la sienne, et son corps se tordait un peu sous la couverture, énervé par la fatigue de la lutte. Lui, devenait brutal, grisé par le désir. Il la découvrit d'un mouvement brusque. Alors elle sentit bien qu'elle ne pouvait plus résister. Obéissant à une pudeur d'autruche, elle cacha sa figure dans ses mains et cessa de se défendre.

Le fermier resta la nuit auprès d'elle. Il y revint le soir suivant, puis tous les jours.

Ils vécurent ensemble.

Un matin, il lui dit : « J'ai fait publier les bans, nous nous marierons le mois prochain. »

Elle ne répondit pas. Que pouvait-elle dire ? Elle ne résista point. Que pouvait-elle faire ?

IV

Elle l'épousa. Elle se sentait enfoncée dans un trou aux bords inaccessibles, dont elle ne pourrait jamais sortir, et toutes sortes de malheurs restaient suspendus sur sa tête comme des gros rochers qui tomberaient à la première occasion. Son mari lui faisait l'effet d'un homme qu'elle avait volé et qui s'en apercevrait un jour ou l'autre. Et puis elle pensait à son petit d'où venait tout son malheur, mais d'où venait aussi tout son bonheur sur la terre.

Elle allait le voir deux fois l'an et revenait plus triste chaque fois.

Cependant, avec l'habitude, ses appréhensions se calmèrent, son cœur s'apaisa, et elle vivait plus confiante avec une vague crainte flottante encore en son âme.

Des années passèrent ; l'enfant gagnait six ans. Elle était maintenant presque heureuse, quand tout à coup l'humeur du fermier s'assombrit.

Depuis deux ou trois années déjà il semblait nourrir une inquiétude, porter en lui un souci, quelque mal de l'esprit grandissant peu à peu. Il restait longtemps à table après son dîner, la tête enfoncée dans ses mains, et triste, triste, rongé par le chagrin. Sa parole devenait plus vive, brutale parfois ; et il semblait même qu'il avait une arrière-pensée contre sa femme, car il lui répondait par moments avec dureté, presque avec colère.

Un jour que le gamin d'une voisine était venu chercher des œufs, comme elle le rudoyait un peu, pressée par la besogne, son mari apparut tout à coup et lui dit de sa voix méchante :

« Si c'était le tien, tu ne le traiterais pas comme ça. »

Elle demeura saisie, sans pouvoir répondre, puis elle rentra, avec toutes ses angoisses réveillées.

Au dîner, le fermier ne lui parla pas, ne la regarda pas, et il semblait la détester, la mépriser, savoir quelque chose enfin.

Perdant la tête, elle n'osa point rester seule avec lui après le repas ; elle se sauva et courut jusqu'à l'église.

La nuit tombait ; l'étroite nef était toute sombre, mais un pas rôdait dans le silence là-bas, vers le chœur, car le sacristain préparait pour la nuit la lampe du tabernacle. Ce point de feu tremblotant, noyé dans les ténèbres de la voûte, apparut à Rose comme une dernière espérance, et les yeux fixés sur lui, elle s'abattit à genoux.

La mince veilleuse remonta dans l'air avec un bruit de chaîne. Bientôt retentit sur le pavé un saut régulier de sabots que suivait un frôlement de corde traînant, et la maigre cloche jeta l'*Angelus* du soir à travers les brumes grandissantes ; comme l'homme allait sortir, elle le joignit.

« Monsieur le curé est-il chez lui ? » dit-elle.

Il répondit :

« Je crois bien, il dîne toujours à l'*Angelus*. »

Alors elle poussa en tremblant la barrière du presbytère.

Le prêtre se mettait à table. Il la fit asseoir aussitôt.

« Oui, oui, je sais, votre mari m'a déjà parlé de ce qui vous amène. »

La pauvre femme défaillait. L'ecclésiastique reprit :

« Que voulez-vous, mon enfant ? »

Et il avalait rapidement des cuillerées de soupe dont les gouttes tombaient sur sa soutane rebondie et crasseuse au ventre.

Rose n'osait plus parler, ni implorer, ni supplier ; elle se leva ; le curé lui dit :

« Du courage... »

Et elle sortit.

Elle revint à la ferme sans savoir ce qu'elle faisait. Le maître l'attendait, les gens de peine étant partis en son absence. Alors elle tomba lourdement à ses pieds et elle gémit en versant des flots de larmes.

« Qu'est-ce que t'as contre moi ? »

Il se mit à crier, jurant :

« J'ai que je n'ai pas d'éfants, nom de Dieu ! Quand on

prend une femme, c'n'est pas pour rester tout seuls tous les deux jusqu'à la fin. V'là c'que j'ai. Quand une vache n'a point de viaux, c'est qu'elle ne vaut rien. Quand une femme n'a point d'éfants, c'est aussi qu'elle ne vaut rien. »

Elle pleurait, balbutiant, répétant :

« C'n'est point d'ma faute ! c'n'est point d'ma faute ! » Alors il s'adoucit un peu et il ajouta :

« J'te dis pas, mais c'est contrariant tout de même. »

V

De ce jour elle n'eut plus qu'une pensée : avoir un enfant, un autre ; et elle confia son désir à tout le monde.

Une voisine lui indiqua un moyen : c'était de donner à boire à son mari, tous les soirs, un verre d'eau avec une pincée de cendres. Le fermier s'y prêta, mais le moyen ne réussit pas.

Ils se dirent : « Peut-être qu'il y a des secrets. » Et ils allèrent aux renseignements. On leur désigna un berger qui demeurait à dix lieues de là ; et maître Vallin ayant attelé son tilbury partit un jour pour le consulter.

Le berger lui remit un pain sur lequel il fit des signes, un pain pétri avec des herbes et dont il fallait que tous deux mangeassent un morceau, la nuit, avant comme après leurs caresses.

Le pain tout entier fut consommé sans obtenir de résultat.

Un instituteur leur dévoila des mystères, des procédés d'amour inconnus aux champs, et infaillibles, disait-il. Ils ratèrent.

Le curé conseilla un pèlerinage au précieux Sang de Fécamp. Rose alla avec la foule se prosterner dans l'abbaye, et, mêlant son vœu aux souhaits grossiers qu'exhalaient tous ces cœurs de paysans, elle supplia Celui que tous imploraient de la rendre encore une fois féconde. Ce fut vain. Alors elle s'imagina être punie de sa première faute et une immense douleur l'envahit.

Elle dépérissait de chagrin ; son mari aussi vieillissait, « se mangeait les sangs », disait-on, se consumait en espoirs inutiles.

Alors la guerre éclata entre eux. Il l'injuria, la battit. Tout le jour il la querellait, et le soir, dans leur lit, haletant, haineux, il lui jetait à la face des outrages et des ordures.

Une nuit enfin, ne sachant plus qu'inventer pour la faire souffrir davantage, il lui ordonna de se lever et d'aller attendre le jour sous la pluie devant la porte. Comme elle n'obéissait pas, il la saisit par le cou et se mit à la frapper au visage à coups de poing. Elle ne dit rien, ne remua pas. Exaspéré, il sauta à genoux sur son ventre ; et, les dents serrées, fou de rage, il l'assommait. Alors elle eut un instant de révolte désespérée, et, d'un geste furieux le rejetant contre le mur, elle se dressa sur son séant, puis, la voix changée, sifflante :

« J'en ai un éfant, moi, j'en ai un ! je l'ai eu avec Jacques ! tu sais bien, Jacques. Il devait m'épouser : il est parti. »

L'homme, stupéfait, restait là, aussi éperdu qu'elle-même ; il bredouillait :

« Qué que tu dis ? qué que tu dis ? »

Alors elle se mit à sangloter, et à travers ses larmes ruisselantes elle balbutia :

« C'est pour ça que je ne voulais pas t'épouser, c'est pour ça. Je ne pouvais point te le dire, tu m'aurais mise sans pain avec mon petit. Tu n'en as pas, toi, d'éfant ; tu ne sais pas, tu ne sais pas ! »

Il répétait machinalement, dans une surprise grandissante :

« T'as un éfant ? t'as un éfant ? »

Elle prononça au milieu des hoquets :

« Tu m'as prise de force ; tu le sais bien peut-être ? moi je ne voulais point t'épouser. »

Alors il se leva, alluma la chandelle, et se mit à marcher dans la chambre, les bras derrière le dos. Elle pleurait toujours, écroulée sur le lit. Tout à coup, il s'arrêta devant elle : « C'est de ma faute alors si je t'en ai pas fait ? » dit-il. Elle ne répondit pas. Il se remit à marcher ; puis, s'arrêtant de nouveau, il demanda :

« Quel âge qu'il a ton petiot ? »

Elle murmura :

« V'là qu'il va avoir six ans. »

Il demanda encore :

« Pourquoi que tu me l'as pas dit ? »

Elle gémit :

« Est-ce que je pouvais ! »

Il restait debout, immobile.

« Allons, lève-toi », dit-il.

Elle se redressa péniblement ; puis, quand elle se fut mise sur ses pieds, appuyée au mur, il se prit à rire soudain de son gros rire des bons jours ; et comme elle demeurait bouleversée, il ajouta :

« Eh bien, on ira le chercher, c't'éfant, puisque nous n'en avons pas ensemble. »

Elle eut un tel effarement que si la force ne lui eût pas manqué, elle se serait assurément enfuie. Mais le fermier se frottait les mains et murmurait :

« Je voulais en adopter un, le v'là trouvé, le v'là trouvé. J'avais demandé au curé un orphelin. »

Puis, riant toujours, il embrassa sur les deux joues sa femme éplorée et stupide, et il cria, comme si elle ne l'entendait pas :

« Allons, la mère, allons voir s'il y a encore de la soupe ; moi, j'en mangerais bien une potée. »

Elle passa sa jupe ; ils descendirent ; et pendant qu'à genoux elle rallumait le feu sous la marmite, lui, radieux, continuait à marcher à grands pas dans la cuisine en répétant :

« Eh bien, vrai, ça me fait plaisir ; c'est pas pour dire, mais je suis content, je suis bien content. »

(1881)

LE VIEUX

Un tiède soleil d'automne tombait dans la cour de la ferme, par-dessus les grands hêtres des fossés. Sous le gazon tondu par les vaches, la terre, imprégnée de pluie récente, était moite, enfonçait sous les pieds avec un bruit d'eau ; et les pommiers chargés de pommes semaient leurs fruits d'un vert pâle, dans le vert foncé de l'herbage.

Quatre jeunes génisses paissaient, attachées en ligne, et meuglaient par moments vers la maison ; les volailles mettaient un mouvement coloré sur le fumier, devant l'étable, et grattaient, remuaient, caquetaient, tandis que les deux coqs chantaient sans cesse, cherchaient des vers pour leurs poules, qu'ils appelaient d'un gloussement vif.

La barrière de bois s'ouvrit ; un homme entra, âgé de quarante ans peut-être, mais qui semblait vieux de soixante, ridé, tortu, marchant à grands pas lents, alourdis par le poids de lourds sabots pleins de paille. Ses bras trop longs pendaient des deux côtés du corps. Quand il approcha de la ferme, un roquet jaune, attaché au pied d'un énorme poirier, à côté d'un baril qui lui servait de niche, remua la queue, puis se mit à japper en signe de joie. L'homme cria :

— A bas, Finot !

Le chien se tut.

Une paysanne sortit de la maison. Son corps osseux, large et plat, se dessinait sous un caraco de laine qui serrait la taille. Une jupe grise, trop courte, tombait jusqu'à la moitié des jambes, cachées en des bas bleus, et elle portait aussi des sabots pleins de paille. Un bonnet blanc, devenu jaune, couvrait quelques cheveux collés au crâne, et sa figure brune, maigre, laide, édentée, montrait cette physionomie sauvage et brute qu'ont souvent les faces des paysans.

L'homme demanda :

— Comment qu'y va ?

La femme répondit :

— M'sieu l' curé dit que c'est la fin, qu'il n' passera point la nuit.

Ils entrèrent tous deux dans la maison.

Après avoir traversé la cuisine, ils pénétrèrent dans la chambre, basse, noire, à peine éclairée par un carreau, devant lequel tombait une loque d'indienne normande. Les grosses poutres du plafond, brunies par le temps, noires et enfumées, traversaient la pièce de part en part, portant le mince plancher du grenier, où couraient, jour et nuit, des troupeaux de rats.

Le sol de terre, bossué, humide, semblait gras, et, dans le fond de l'appartement, le lit faisait une tache vaguement blanche. Un bruit régulier, rauque, une respiration dure, râlante, sifflante avec un gargouillement d'eau comme celui que fait une pompe brisée, partait de la couche enténébrée où agonisait un vieillard, le père de la paysanne.

L'homme et la femme s'approchaient et regardèrent le moribond, de leur œil placide et résigné.

Le gendre dit :

— C' te fois, c'est fini ; i n'ira pas seulement à la nuit.

La fermière reprit :

— C'est d' puis midi qu'i gargotte comme ça.

Puis ils se turent. Le père avait les yeux fermés, le visage couleur de terre, si sec qu'il semblait en bois. Sa bouche entrouverte laissait passer son souffle clapotant et dur ; et le drap de toile grise se soulevait sur la poitrine à chaque aspiration.

Le gendre, après un long silence, prononça :

— Y a qu'à le quitter finir. J'y pouvons rien. Tout d' même c'est dérangeant pour les cossarts, vu l' temps qu'est bon, qu'il faut r' piquer d' main.

Sa femme parut inquiète à cette pensée. Elle réfléchit quelques instants, puis déclara :

— Puisqu'i va passer, on l'enterrera pas avant samedi, t'auras ben d'main pour les cossards.

Le paysan méditait ; il dit :

— Oui, mais d'main qui faudra qu'invite pour l'imunation, que j' n'ai ben pour cinq à six heures à aller de Tourville à Manetot chez tout le monde.

La femme, après avoir médité deux ou trois minutes, prononça :

— I n'est seulement point trois heures, que tu pourrais commencer la tournée anuit et faire tout l' côté de Tourville. Tu peux ben dire qu'il a passé puisqu'i n'en a pas quasiment pour la relevée.

L'homme demeura quelques instants perplexe, pesant les conséquences et les avantages de l'idée. Enfin il déclara :

— Tout d' même, j'y vas.

Il allait sortir, il revint et, après une hésitation :

— Pisque t'as point d'ouvrage, loche des pommes à cuire, et pis tu feras quatre douzaines de douillons pour ceux qui viendront à l'imunation, vu qu'i faudra se réconforter. T'allumeras le four avec la bourrée qu'est sous l' hangar au pressoir. Elle est sèque.

Et il sortit de la chambre, rentra dans la cuisine, ouvrit le buffet, prit un pain de six livres, en coupa soigneusement une tranche, recueillit dans le creux de sa main les miettes tombées sur la tablette, et se les jeta dans la bouche pour ne rien perdre. Puis il enleva avec la pointe de son couteau un peu de beurre salé au fond d'un pot de terre brune, l'étendit sur son pain, qu'il se mit à manger lentement, comme il faisait tout.

Et il retraversa la cour, apaisa le chien, qui se remettait à japper, sortit sur le chemin qui longeait son fossé et s'éloigna dans la direction de Tourville.

Restée seule, la femme se mit à la besogne. Elle découvrit la huche à la farine, et prépara la pâte aux douillons. Elle la pétrissait longuement, la tournant et la retournant, la maniant, l'écrasant, la broyant. Puis elle en fit une grosse boule d'un blanc jaune, qu'elle laissa sur le coin de la table.

Alors elle alla chercher les pommes et, pour ne point blesser l'arbre avec la gaule, elle grimpa dedans au moyen d'un escabeau. Elle choisissait les fruits avec soin, pour ne prendre que les plus mûrs, et les entassait dans son tablier.

Une voix l'appela du chemin :

— Ohé, madame Chicot !

Elle se retourna. C'était un voisin, maître Osime Favet, le maire, qui s'en allait fumer ses terres, assis les jambes pendantes, sur le tombereau d'engrais. Elle se retourna, et répondit :

— Qué qu'y a pour vot' service, maît' Osime ?

— Et le pé, où qui n'en est ?

Elle cria :

— Il est quasiment passé. C'est samedi l'imunation, à sept heures, vu les cossarts qui pressent.

Le voisin répliqua :

— Entendu. Bonne chance ! Portez-vous bien.

Elle répondit à sa politesse :

— Merci, et vous d' même.

Puis elle se remit à cueillir ses pommes.

Aussitôt qu'elle fut rentrée, elle alla voir son père, s'attendant à le trouver mort. Mais dès la porte elle distingua son râle bruyant et monotone, et, jugeant inutile d'approcher du lit pour ne point perdre de temps, elle commença à préparer les douillons.

Elle enveloppait les fruits, un à un, dans une mince feuille de pâte, puis les alignait au bord de la table. Quand elle eut fait quarante-huit boules, rangées par douzaines l'une devant l'autre, elle pensa à préparer le souper, et elle accrocha sur le feu sa marmite pour faire cuire les pommes de terre : car elle avait réfléchi qu'il était inutile d'allumer le four, ce jour-là même, ayant encore le lendemain tout entier pour terminer les préparatifs.

Son homme rentra vers cinq heures. Dès qu'il eut franchi le seuil, il demanda :

— C'est-il fini ?

Elle répondit :

— Point encore ; ça gargouille toujours.

Ils allèrent voir. Le vieux était absolument dans le même état. Son souffle rauque, régulier comme un mouvement d'horloge, ne s'était ni accéléré ni ralenti. Il revenait de seconde en seconde, variant un peu de ton, suivant que l'air entrait ou sortait de la poitrine.

Son gendre le regarda, puis il dit :

— I finira sans qu'on y pense, comme une chandelle.

Ils rentrèrent dans la cuisine et, sans parler, se mirent à souper. Quand ils eurent avalé la soupe, ils mangèrent encore une tartine de beurre, puis, aussitôt les assiettes lavées, rentrèrent dans la chambre de l'agonisant.

La femme, tenant une petite lampe à mèche fumeuse, la promena devant le visage de son père. S'il n'avait pas respiré, on l'aurait cru mort assurément.

Le lit des deux paysans était caché à l'autre bout de la chambre, dans une espèce d'enfoncement. Ils se couchèrent sans dire un mot, éteignirent la lumière, fermèrent les yeux ; et bientôt deux ronflements inégaux, l'un plus profond, l'autre plus aigu, accompagnèrent le râle ininterrompu du mourant.

Les rats couraient dans le grenier.

Le mari s'éveilla dès les premières pâleurs du jour. Son beau-père vivait encore. Il secoua sa femme, inquiet de cette résistance du vieux.

— Dis donc, Phémie, i n' veut point finir. Qué qu' tu f'rais, té?

Il la savait de bon conseil.

Elle répondit:

— I n' passera point l' jour, pour sûr. N'y a point n'a craindre. Pour lors que l' maire n'opposera pas qu'on l'enterre tout de même demain, vu qu'on l'a fait pour maître Renard le pé, qu'a trépassé juste aux semences.

Il fut convaincu par l'évidence du raisonnement, et il partit aux champs.

Sa femme fit cuire les douillons, puis accomplit toutes les besognes de la ferme.

A midi, le vieux n'était pas mort. Les gens de journée loués pour le repiquage des cossarts vinrent en groupe considérer l'ancien qui tardait à s'en aller. Chacun dit son mot, puis ils repartirent dans les terres.

A six heures, quand on rentra, le père respirait encore. Son gendre, à la fin, s'effraya.

— Qué qu' tu f'rais à c'te heure, té, Phémie?

Elle ne savait non plus que résoudre. On alla trouver le maire. Il promit qu'il fermerait les yeux et autoriserait l'enterrement le lendemain. L'officier de santé, qu'on alla voir, s'engagea aussi, pour obliger maître Chicot, à antidater le certificat de décès. L'homme et la femme rentrèrent tranquilles.

Ils se couchèrent et s'endormirent comme la veille, mêlant leurs souffles sonores au souffle plus faible du vieux.

Quand ils s'éveillèrent il n'était point mort.

Alors ils furent atterrés. Ils restaient debout, au chevet du père, le considérant avec méfiance, comme s'il avait voulu leur jouer un vilain tour, les tromper, les contrarier par plaisir, et ils lui en voulaient surtout du temps qu'il leur faisait perdre.

Le gendre demanda:

— Qué que j'allons faire?

Elle n'en savait rien; elle répondit:

— C'est-i contrariant, tout d' même!

On ne pouvait maintenant prévenir tous les invités, qui allaient arriver sur l'heure. On résolut de les attendre, pour leur expliquer la chose.

Vers sept heures moins dix, les premiers apparurent. Les femmes en noir, la tête couverte d'un grand voile, s'en venaient d'un air triste. Les hommes, gênés dans leurs vestes de drap, s'avançaient plus délibérément, deux par deux, en devisant des affaires.

Maître Chicot et sa femme, effarés, les reçurent en se désolant ; et tous deux, tout à coup, au même moment, en abordant le premier groupe, se mirent à pleurer. Ils expliquaient l'aventure, contaient leur embarras, offraient des chaises, se remuaient, s'excusaient, voulaient prouver que tout le monde aurait fait comme eux, parlaient sans fin, devenus brusquement bavards à ne laisser personne leur répondre.

Ils allaient de l'un à l'autre :

— Je l'aurions point cru ; c'est point croyable qu'il aurait duré comme ça !

Les invités interdits, un peu déçus, comme des gens qui manquent une cérémonie attendue, ne savaient que faire, demeuraient assis ou debout. Quelques-uns voulurent s'en aller. Maître Chicot les retint :

— J'allons casser une croûte tout d' même. J'avions fait des douillons ; faut bien n'en profiter.

Les visages s'éclairèrent à cette pensée. On se mit à causer à voix basse. La cour peu à peu s'emplissait ; les premiers venus disaient la nouvelle aux nouveaux arrivants. On chuchotait, l'idée des douillons égayant tout le monde.

Les femmes entraient pour regarder le mourant. Elles se signaient auprès du lit, balbutiaient une prière, ressortaient. Les hommes, moins avides de ce spectacle, jetaient un seul coup d'œil de la fenêtre qu'on avait ouverte.

Mme Chicot expliquait l'agonie :

— V'là deux jours qu'il est comme ça, ni plus ni moins, ni plus haut ni plus bas. Dirait-on point eune pompe qu'a pu d'iau ?

Quand tout le monde eut vu l'agonisant, on pensa à la collation, mais, comme on était trop nombreux pour tenir dans la cuisine, on sortit la table devant la porte. Les quatre douzaines de douillons, dorés, appétissants, tiraient les yeux, disposés dans deux grands plats. Chacun avançait le bras pour prendre le sien, craignant qu'il n'y en eût pas assez. Mais il en resta quatre.

Maître Chicot, la bouche pleine, prononça :

— S'i nous véyait, l' pé, ça lui f'rait deuil. C'est li qui les aimait d' son vivant.

Un gros paysan jovial déclara :
— I n'en mangera pu, à c't' heure. Chacun son tour.
Cette réflexion, loin d'attrister les invités, sembla les réjouir. C'était leur tour, à eux, de manger des boules.
Mme Chicot, désolée de la dépense, allait sans cesse au cellier chercher du cidre. Les brocs se suivaient et se vidaient coup sur coup. On riait maintenant, on parlait fort, on commençait à crier comme on crie dans les repas.
Tout à coup une vieille paysanne qui était restée près du moribond, retenue par une peur avide de cette chose qui lui arriverait bientôt à elle-même, apparut à la fenêtre, et s'écria d'une voix aiguë :
— Il a passé ! il a passé !
Chacun se tut. Les femmes se levèrent vivement pour aller voir.
Il était mort, en effet. Il avait cessé de râler. Les hommes se regardaient, baissaient les yeux, mal à leur aise. On n'avait pas fini de mâcher les boules. Il avait mal choisi son moment, ce gredin-là.
Les Chicot, maintenant, ne pleuraient plus. C'était fini, ils étaient tranquilles. Ils répétaient :
— J' savions bien qu' ça n' pouvait point durer. Si seulement il avait pu s' décider c'te nuit, ça n'aurait point fait tout ce dérangement.
N'importe, c'était fini. On l'enterrerait lundi, voilà tout, et on remangerait des douillons pour l'occasion.
Les invités s'en allèrent, en causant de la chose, contents tout de même d'avoir vu ça et aussi d'avoir cassé une croûte.
Et quand l'homme et la femme furent demeurés tout seuls, face à face, elle dit, la figure contractée par l'angoisse :
— Faudra tout d' même r'cuire quatre douzaines de boules ! Si seulement il avait pu s' décider c'te nuit !
Et le mari, plus résigné, répondit :
— Ça n' serait pas à r'faire tous les jours.

L'IVROGNE

Le vent du nord soufflait en tempête, emportant par le ciel d'énormes nuages d'hiver, lourds et noirs, qui jetaient en passant sur la terre des averses furieuses.

La mer démontée mugissait et secouait la côte, précipitant sur le rivage des vagues énormes, lentes et baveuses, qui s'écroulaient avec des détonations d'artillerie. Elles s'en venaient tout doucement, l'une après l'autre, hautes comme des montagnes, éparpillant dans l'air, sous les rafales, l'écume blanche de leurs têtes ainsi qu'une sueur de monstres.

L'ouragan s'engouffrait dans le petit vallon d'Yport, sifflait et gémissait, arrachant les ardoises des toits, brisant les auvents, abattant les cheminées, lançant dans les rues de telles poussées de vent qu'on ne pouvait marcher qu'en se tenant aux murs, et que les enfants eussent été enlevés comme des feuilles et jetés dans les champs par-dessus les maisons.

On avait halé les barques de pêche jusqu'au pays, par crainte de la mer qui allait balayer la plage à marée pleine, et quelques matelots, cachés derrière le ventre rond des embarcations couchées sur le flanc, regardaient cette colère du ciel et de l'eau.

Puis ils s'en allaient peu à peu, car la nuit tombait sur la tempête, enveloppant d'ombre l'Océan affolé, et tout le fracas des éléments en furie.

Deux hommes restaient encore, les mains dans les poches, le dos rond sous les bourrasques, le bonnet de laine enfoncé jusqu'aux yeux, deux grands pêcheurs normands, au collier de barbe rude, à la peau brûlée par les rafales salées du large, aux yeux bleus piqués d'un grain noir au milieu, ces yeux perçants des marins qui voient au bout de l'horizon, comme un oiseau de proie.

Un d'eux disait :

— Allons, viens-t'en, Jérémie. J'allons passer l' temps aux dominos. C'est mé qui paye.

L'autre hésitait encore, tenté par le jeu et l'eau-de-vie,

sachant bien qu'il allait encore s'ivrogner s'il entrait chez Paumelle, retenu aussi par l'idée de sa femme restée toute seule dans sa masure.

Il demanda :

— On dirait qu' t'as fait une gageure de m' soûler tous les soirs. Dis-mé, qué qu' ça te rapporte, pisque tu payes toujours ?

Et il riait tout de même à l'idée de toute cette eau-de-vie bue aux frais d'un autre ; il riait d'un rire content de Normand en bénéfice.

Mathurin, son camarade, le tirait toujours par le bras :

— Allons, viens-t'en, Jérémie. C'est pas un soir à rentrer sans rien d' chaud dans le ventre. Qué qu' tu crains ? Ta femme va-t-il pas bassiner ton lit ?

Jérémie répondait :

— L'aut' soir que je n'ai point pu r' trouver la porte... Qu'on m'a quasiment r' pêché dans le ruisseau de d' vant chez nous !

Et il riait encore à ce souvenir de pochard, et il allait tout doucement vers le café de Paumelle, dont la vitre illuminée brillait ; il allait, tiré par Mathurin et poussé par le vent, incapable de résister à ces deux forces.

La salle basse était pleine de matelots, de fumée et de cris. Tous ces hommes, vêtus de laine, les coudes sur les tables, vociféraient pour se faire entendre. Plus il entrait de buveurs, plus il fallait hurler dans le vacarme des voix et des dominos tapés sur le marbre, histoire de faire plus de bruit encore.

Jérémie et Mathurin allèrent s'asseoir dans un coin et commencèrent une partie, et les petits verres disparaissaient, l'un après l'autre, dans la profondeur de leurs gorges.

Puis ils jouèrent d'autres parties, burent d'autres petits verres. Mathurin versait toujours, en clignant de l'œil au patron, un gros homme aussi rouge que du feu et qui rigolait, comme s'il eût su quelque longue farce ; et Jérémie engloutissait l'alcool, balançait sa tête, poussait des rires pareils à des rugissements en regardant son compère d'un air hébété et content.

Tous les clients s'en allaient. Et, chaque fois que l'un d'eux ouvrait la porte du dehors pour partir, un coup de vent entrait dans le café, remuait en tempête la lourde fumée des pipes, balançait les lampes au bout de leurs chaînettes et faisait vaciller leurs flammes ; et on entendait tout à coup le choc profond d'une vague s'écroulant et le mugissement de la bourrasque.

Jérémie, le col desserré, prenait des poses de soûlard, une

jambe étendue, un bras tombant; et de l'autre main il tenait ses dominos.

Ils restaient seuls maintenant avec le patron, qui s'était approché, plein d'intérêt.

Il demanda:

— Eh ben, Jérémie, ça va-t-il, à l'intérieur? Es-tu rafraîchi à force de t'arroser?

Et Jérémie bredouilla:

— Plus qu'il en coule, pus qu'il fait sec, là-dedans.

Le cafetier regardait Mathurin d'un air finaud. Il dit:

— Et ton fré, Mathurin, ous qu'il est à c't heure?

Le marin eut un rire muet:

— Il est au chaud, t'inquiète pas.

Et tous deux regardèrent Jérémie, qui posait triomphalement le double-six en annonçant:

— V'là le syndic.

Quand ils eurent achevé la partie, le patron déclara:

— Vous savez, mes gars, mé, j' va m' mettre au portefeuille. J' vous laisse une lampe et pi l' litre. Y en a pour vingt sous à bord. Tu fermeras la porte au-dehors, Mathurin, et tu glisseras la clef d' sous l'auvent comme t'as fait l'aut' nuit.

Mathurin répliqua:

— T'inquiète pas. C'est compris.

Paumelle serra la main de ses deux clients tardifs, et monta lourdement son escalier en bois. Pendant quelques minutes, son pesant pas résonna dans la petite maison; puis un lourd craquement révéla qu'il venait de se mettre au lit.

Les deux hommes continuèrent à jouer; de temps en temps, une rage plus forte de l'ouragan secouait la porte, faisait trembler les murs, et les deux buveurs levaient la tête comme si quelqu'un allait entrer. Puis Mathurin prenait le litre et remplissait le verre de Jérémie. Mais soudain, l'horloge suspendue sur le comptoir sonna minuit. Son timbre enroué ressemblait à un choc de casseroles, et les coups vibraient longtemps, avec une sonorité de ferraille.

Mathurin aussitôt se leva, comme un matelot dont le quart est fini:

— Allons, Jérémie, faut décaniller.

L'autre se mit en mouvement avec plus de peine, prit son aplomb en s'appuyant à la table; puis il gagna la porte et l'ouvrit pendant que son compagnon éteignait la lampe.

Lorsqu'ils furent dans la rue, Mathurin ferma la boutique; puis il dit:

— Allons, bonsoir, à demain.

Et il disparut dans les ténèbres.

Jérémie fit trois pas, puis oscilla, étendit les mains, rencontra un mur qui le soutint debout et se remit en marche en trébuchant. Par moments, une bourrasque, s'engouffrant dans la rue étroite, le lançait en avant, le faisait courir quelques pas ; puis, quand la violence de la trombe cessait, il s'arrêtait net, ayant perdu son pousseur, et il se remettait à vaciller sur ses jambes capricieuses d'ivrogne.

Il allait, d'instinct, vers sa demeure, comme les oiseaux vont au nid. Enfin, il reconnut sa porte et il se mit à la tâter pour découvrir la serrure et placer la clef dedans. Il ne trouvait pas le trou et jurait à mi-voix. Alors il tapa dessus à coups de poing, appelant sa femme pour qu'elle vînt l'aider :

— Mélina ! Eh ! Mélina !

Comme il s'appuyait contre le battant pour ne point tomber, il céda, s'ouvrit, et Jérémie, perdant son appui, entra chez lui en s'écroulant, alla rouler sur le nez au milieu de son logis, et il sentit que quelque chose de lourd lui passait sur le corps, puis s'enfuyait dans la nuit.

Il ne bougeait plus, ahuri de peur, éperdu, dans une épouvante du diable, des revenants, de toutes les choses mystérieuses des ténèbres, et il attendit longtemps sans oser faire un mouvement. Mais, comme il vit que rien ne bougeait plus, un peu de raison lui revint, de la raison trouble de pochard.

Et il s'assit, tout doucement. Il attendit encore longtemps, et, s'enhardissant enfin, il prononça :

— Mélina !

Sa femme ne répondit pas.

Alors, tout d'un coup, un doute traversa sa cervelle obscurcie, un doute indécis, un soupçon vague. Il ne bougeait point ; il restait là, assis par terre, dans le noir, cherchant ses idées, s'accrochant à des réflexions incomplètes et trébuchantes comme ses pieds.

Il demanda de nouveau :

— Dis-mé qui que c'était, Mélina. Dis-mé qui que c'était. Je te ferai rien.

Il attendit. Aucune voix ne s'éleva dans l'ombre. Il raisonnait tout haut, maintenant.

— Je sieus-ti bu, tout de même ! Je sieus-ti bu ! C'est li qui m'a boissonné comm' ça, manant ; c'est li, pour que je rentre point. J' sieus-ti bu !

Et il reprenait :

— Dis-mé qui que c'était, Mélina, ou j' vas faire quéque malheur.

Après avoir attendu de nouveau, il continuait, avec une logique lente et obstinée d'homme soûl :

— C'est li qui m'a r'tenu chez ce fainéant de Paumelle ; et l's autres soirs itou, pour que je rentre point. C'est quéque complice. Ah ! charogne !

Lentement il se mit sur les genoux. Une colère sourde le gagnait, se mêlant à la fermentation des boissons.

Il répéta :

— Dis-mé qui qu' c'était, Mélina, ou j' vas cogner, j' te préviens !

Il était debout maintenant, frémissant d'une colère foudroyante, comme si l'alcool qu'il avait au corps se fût enflammé dans ses veines. Il fit un pas, heurta une chaise, la saisit, marcha encore, rencontra le lit, le palpa et sentit dedans le corps chaud de sa femme.

Alors, affolé de rage, il grogna :

— Ah ! t'étais là, saleté, et tu n' répondais point !

Et, levant la chaise qu'il tenait dans sa poigne robuste de matelot, il l'abattit devant lui avec une furie exaspérée. Un cri jaillit de la couche ; un cri éperdu, déchirant. Alors il se mit à frapper comme un batteur dans une grange. Et rien, bientôt, ne remua plus. La chaise s'envolait en morceaux ; mais un pied lui restait à la main, et il tapait toujours, en haletant.

Puis soudain il s'arrêta pour demander :

— Diras-tu qui qu' c'était, à c' t' heure ?

Mélina ne répondit pas.

Alors, rompu de fatigue, abruti par sa violence, il se rassit par terre, s'allongea et s'endormit.

Quand le jour parut, un voisin, voyant sa porte ouverte, entra. Il aperçut Jérémie qui ronflait sur le sol, où gisaient les débris d'une chaise, et, dans le lit, une bouillie de chair et de sang.

COCO

Dans tout le pays environnant on appelait la ferme des Lucas « la Métairie ». On n'aurait su dire pourquoi. Les paysans, sans doute, attachaient à ce mot « métairie » une idée de richesse et de grandeur, car cette ferme était assurément la plus vaste, la plus opulente et la plus ordonnée de la contrée.

La cour, immense, entourée de cinq rangs d'arbres magnifiques pour abriter contre le vent violent de la plaine les pommiers trapus et délicats, enfermait de longs bâtiments couverts en tuiles pour conserver les fourrages et les grains, de belles étables bâties en silex, des écuries pour trente chevaux, et une maison d'habitation en briques rouges, qui ressemblait à un petit château.

Les fumiers étaient bien tenus ; les chiens de garde habitaient en des niches, un peuple de volailles circulait dans l'herbe haute.

Chaque midi, quinze personnes, maîtres, valets et servantes, prenaient place autour de la longue table de cuisine où fumait la soupe dans un grand vase de faïence à fleurs bleues.

Les bêtes, chevaux, vaches, porcs et moutons, étaient grasses, soignées et propres ; et maître Lucas, un grand homme qui prenait du ventre, faisait sa ronde trois fois par jour, veillant sur tout et pensant à tout.

On conservait, par charité, dans le fond de l'écurie, un très vieux cheval blanc que la maîtresse voulait nourrir jusqu'à sa mort naturelle, parce qu'elle l'avait élevé, gardé toujours, et qu'il lui rappelait des souvenirs.

Un goujat de quinze ans, nommé Isidore Duval, et appelé plus simplement Zidore, prenait soin de cet invalide, lui donnait, pendant l'hiver, sa mesure d'avoine et son fourrage, et devait aller quatre fois par jour, en été, le déplacer dans la côte où on l'attachait, afin qu'il eût en abondance de l'herbe fraîche.

L'animal, presque perclus, levait avec peine ses jambes

lourdes, grosses des genoux et enflées au-dessus des sabots. Ses poils, qu'on n'étrillait plus jamais, avaient l'air de cheveux blancs, et des cils très longs donnaient à ses yeux un air triste.

Quand Zidore le menait à l'herbe il lui fallait tirer sur la corde, tant la bête allait lentement ; et le gars, courbé, haletant, jurait contre elle, s'exaspérant d'avoir à soigner cette vieille rosse.

Les gens de la ferme, voyant cette colère du goujat contre Coco, s'en amusaient, parlaient sans cesse du cheval à Zidore pour exaspérer le gamin. Ses camarades le plaisantaient. On l'appelait dans le village Coco-Zidore.

Le gars rageait, sentant naître en lui le désir de se venger du cheval. C'était un maigre enfant haut sur jambes, très sale, coiffé de cheveux roux, épais, durs et hérissés. Il semblait stupide, parlait en bégayant, avec une peine infinie, comme si les idées n'eussent pu se former dans son âme épaisse de brute.

Depuis longtemps déjà, il s'étonnait qu'on gardât Coco, s'indignant de voir perdre du bien pour cette bête inutile. Du moment qu'elle ne travaillait plus, il lui semblait injuste de la nourrir, il lui semblait révoltant de gaspiller de l'avoine, de l'avoine qui coûtait si cher, pour ce bidet paralysé. Et souvent même, malgré les ordres de maître Lucas, il économisait sur la nourriture du cheval, ne lui versant qu'une demi-mesure, ménageant sa litière et son foin. Et une haine grandissait en son esprit confus d'enfant, une haine de paysan rapace, de paysan sournois, féroce, brutal et lâche.

Lorsque revint l'été, il lui fallut aller *remuer* la bête dans sa côte. C'était loin. Le goujat, plus furieux chaque matin, partait de son pas lourd à travers les blés. Les hommes qui travaillaient dans les terres lui criaient, par plaisanterie :

— Hé Zidore, tu f'ras mes compliments à Coco.

Il ne répondait point ; mais il cassait, en passant, une baguette dans une haie et, dès qu'il avait déplacé l'attache du vieux cheval, il le laissait se remettre à brouter ; puis, approchant traîtreusement, il lui cinglait les jarrets. L'animal essayait de fuir, de ruer, d'échapper aux coups, et il tournait au bout de sa corde comme s'il eût été enfermé dans une piste. Et le gars le frappait avec rage, courant derrière, acharné, les dents serrées par la colère.

Puis il s'en allait lentement, sans se retourner, tandis que le cheval le regardait partir de son œil de vieux, les côtes saillantes, essoufflé d'avoir trotté. Et il ne rebaissait vers l'herbe sa tête osseuse et blanche qu'après avoir vu disparaître au loin la blouse bleue du jeune paysan.

Comme les nuits étaient chaudes, on laissait maintenant Coco coucher dehors, là-bas, au bord de la ravine, derrière le bois. Zidore seul allait le voir.

L'enfant s'amusait encore à lui jeter des pierres. Il s'asseyait à dix pas de lui, sur un talus, et il restait là une demi-heure, lançant de temps en temps un caillou tranchant au bidet, qui demeurait debout, enchaîné devant son ennemi, et le regardant sans cesse, sans oser paître avant qu'il fût reparti.

Mais toujours cette pensée restait plantée dans l'esprit du goujat: « Pourquoi nourrir ce cheval qui ne faisait plus rien? » Il lui semblait que cette misérable rosse volait le manger des autres, volait l'avoir des hommes, le bien du bon Dieu, le volait même aussi, lui, Zidore, qui travaillait.

Alors, peu à peu, chaque jour, le gars diminua la bande de pâturage qu'il lui donnait en avançant le piquet de bois où était fixée la corde.

La bête jeûnait, maigrissait, dépérissait. Trop faible pour casser son attache, elle tendait la tête vers la grande herbe verte et luisante, si proche, et dont l'odeur lui venait sans qu'elle y pût toucher.

Mais, un matin, Zidore eut une idée: c'était de ne plus remuer Coco. Il en avait assez d'aller si loin pour cette carcasse.

Il vint cependant, pour savourer sa vengeance. La bête inquiète le regardait. Il ne la battit pas ce jour-là. Il tournait autour, les mains dans les poches. Même il fit mine de la changer de place, mais il renfonça le piquet juste dans le même trou, et il s'en alla, enchanté de son invention.

Le cheval, le voyant partir, hennit pour le rappeler; mais le goujat se mit à courir, le laissant seul, tout seul dans son vallon, bien attaché, et sans un brin d'herbe à portée de la mâchoire.

Affamé, il essaya d'atteindre la grasse verdure qu'il touchait du bout de ses naseaux. Il se mit sur les genoux, tendant le cou, allongeant ses grandes lèvres baveuses. Ce fut en vain. Tout le jour, elle s'épuisa, la vieille bête, en efforts inutiles, en efforts terribles. La faim la dévorait, rendue plus affreuse par la vue de toute la verte nourriture qui s'étendait par l'horizon.

Le goujat ne revint point ce jour-là. Il vagabonda par les bois pour chercher des nids.

Il reparut le lendemain. Coco, exténué, s'était couché. Il se leva en apercevant l'enfant, attendant enfin d'être changé de place.

Mais le petit paysan ne toucha même pas au maillet jeté dans l'herbe. Il s'approcha, regarda l'animal, lui lança dans le nez une motte de terre qui s'écrasa sur le poil blanc, et il repartit en sifflant.

Le cheval resta debout tant qu'il put l'apercevoir encore ; puis, sentant bien que ses tentatives pour atteindre l'herbe voisine seraient inutiles, il s'étendit de nouveau sur le flanc et ferma les yeux.

Le lendemain, Zidore ne vint pas.

Quand il approcha, le jour suivant, de Coco toujours étendu, il s'aperçut qu'il était mort.

Alors il demeura debout, le regardant, content de son œuvre, étonné en même temps que ce fût déjà fini. Il le toucha du pied, leva une de ses jambes, puis la laissa retomber, s'assit dessus, et resta là, les yeux fixés dans l'herbe et sans penser à rien.

Il revint à la ferme, mais il ne dit pas l'accident, car il voulait vagabonder encore aux heures où, d'ordinaire, il allait changer de place le cheval.

Il alla le voir le lendemain. Des corbeaux s'envolèrent à son approche. Des mouches innombrables se promenaient sur le cadavre et bourdonnaient à l'entour.

En rentrant, il annonça la chose. La bête était si vieille que personne ne s'étonna. Le maître dit à deux valets :

« Prenez vos pelles, vous ferez un trou là ousqu'il est. »

Et les hommes enfouirent le cheval juste à la place où il était mort de faim.

Et l'herbe poussa drue, verdoyante, vigoureuse, nourrie par le pauvre corps.

AU PRINTEMPS

Lorsque les premiers beaux jours arrivent, que la terre s'éveille et reverdit, que la tiédeur parfumée de l'air nous caresse la peau, entre dans la poitrine, semble pénétrer au cœur lui-même, il nous vient des désirs vagues de bonheurs indéfinis, des envies de courir, d'aller au hasard, de chercher aventure, de boire du printemps.

L'hiver ayant été fort dur l'an dernier, ce besoin d'épanouissement fut, au mois de mai, comme une ivresse qui m'envahit, une poussée de sève débordante.

Or, en m'éveillant un matin, j'aperçus par ma fenêtre, au-dessus des maisons voisines, la grande nappe bleue du ciel tout enflammée de soleil. Les serins accrochés aux fenêtres s'égosillaient ; les bonnes chantaient à tous les étages, une rumeur gaie montait de la rue ; et je sortis, l'esprit en fête, pour aller je ne sais où.

Les gens qu'on rencontrait souriaient ; un souffle de bonheur flottait partout dans la lumière chaude du printemps revenu. On eût dit qu'il y avait là sur la ville une brise d'amour épandue ; et les jeunes femmes qui passaient, en toilette du matin, portant dans les yeux comme une tendresse cachée et une grâce plus molle dans la démarche, m'emplissaient le cœur de trouble.

Sans savoir comment, sans savoir pourquoi, j'arrivai au bord de la Seine. Des bateaux à vapeur filaient vers Suresnes, et il me vint soudain une envie démesurée de courir à travers les bois.

Le pont de la *Mouche* était couvert de passagers, car le premier soleil vous tire, malgré vous, du logis, et tout le monde remue, va, vient, cause avec le voisin.

C'était une voisine que j'avais ; une petite ouvrière sans doute, avec une grâce toute parisienne, une mignonne tête blonde sous des cheveux bouclés aux tempes ; des cheveux qui semblaient une lumière frisée, descendaient à l'oreille, couraient jusqu'à la nuque, dansaient au vent, puis devenaient, plus bas, un duvet si fin, si léger, si blond, qu'on le voyait à peine, mais qu'on éprouvait une irrésistible envie de mettre là une foule de baisers.

Sous l'insistance de mon regard, elle tourna la tête vers moi, puis baissa brusquement les yeux, tandis qu'un pli léger, comme un sourire prêt à naître, enfonçant un peu le coin de sa bouche, faisait apparaître aussi là ce fin duvet soyeux et pâle que le soleil dorait un peu.

La rivière calme s'élargissait. Une paix chaude planait dans l'atmosphère, et un murmure de vie semblait emplir l'espace. Ma voisine releva les yeux, et, cette fois, comme je la regardais toujours, elle sourit décidément. Elle était charmante ainsi, et dans son regard fuyant mille choses m'apparurent, mille choses ignorées jusqu'ici. J'y vis des profondeurs inconnues, tout le charme des tendresses, toute la poésie que nous rêvons, tout le bonheur que nous cherchons sans fin. Et j'avais un désir fou d'ouvrir les bras, de l'emporter quelque part pour lui murmurer à l'oreille la suave musique des paroles d'amour.

J'allais ouvrir la bouche et l'aborder, quand quelqu'un me toucha l'épaule. Je me retournai, surpris, et j'aperçus un homme d'aspect ordinaire, ni jeune ni vieux, qui me regardait d'un air triste.

« Je voudrais vous parler », dit-il.

Je fis une grimace qu'il vit sans doute, car il ajouta : « C'est important. »

Je me levai et le suivis à l'autre bout du bateau : « Monsieur, reprit-il, quand l'hiver approche avec les froids, la pluie et la neige, votre médecin vous dit chaque jour : "Tenez-vous les pieds bien chauds, gardez-vous des refroidissements, des rhumes, des bronchites, des pleurésies." Alors vous prenez mille précautions, vous portez de la flanelle, des pardessus épais, des gros souliers, ce qui ne vous empêche pas toujours de passer deux mois au lit. Mais quand revient le printemps avec ses feuilles et ses fleurs, ses brises chaudes et amollissantes, ses exhalaisons des champs qui vous apportent des troubles vagues, des attendrissements sans cause, il n'est personne qui vienne vous dire : "Monsieur, prenez garde à l'amour ! Il est embusqué partout ; il vous guette à tous les coins ; toutes ses ruses sont tendues, toutes ses armes aiguisées, toutes ses perfidies préparées ! Prenez garde à l'amour !... Prenez garde à l'amour ! Il est plus dangereux que le rhume, la bronchite ou la pleurésie ! Il ne pardonne pas, et fait commettre à tout le monde des bêtises irréparables." Oui, monsieur, je dis que, chaque année, le gouvernement devrait faire mettre sur les murs de grandes affiches avec ces mots : *Retour du printemps. Citoyens français, prenez garde à l'amour* ; de même qu'on écrit sur la porte des maisons : "Prenez garde à la peinture !" Eh bien, puisque le gouvernement ne le fait pas, moi je le remplace, et je vous dis : "Prenez garde à l'amour ; il est en train de vous pincer, et j'ai le devoir de vous prévenir comme on prévient, en Russie, un passant dont le "nez gèle". »

Je demeurais stupéfait devant cet étrange particulier, et, prenant un air digne : « Enfin, monsieur, vous me paraissez vous mêler de ce qui ne vous regarde guère. »

Il fit un mouvement brusque, et répondit : « Oh ! monsieur ! monsieur ! si je m'aperçois qu'un homme va se noyer dans un endroit dangereux, il faut donc le laisser périr ? Tenez, écoutez mon histoire, et vous comprendrez pourquoi j'ose vous parler ainsi.

« C'était l'an dernier, à pareille époque. Je dois vous dire, d'abord, monsieur, que je suis employé au ministère de la Marine, où nos chefs, les commissaires, prennent au sérieux leurs galons d'officiers plumitifs pour nous traiter comme des gabiers. — Ah ! si tous les chefs étaient civils, — mais je passe. — Donc j'apercevais de mon bureau un petit bout de ciel tout bleu où volaient des hirondelles ; et il me venait des envies de danser au milieu de mes cartons noirs.

« Mon désir de liberté grandit tellement, que malgré ma répugnance, j'allai trouver mon singe. C'était un petit grincheux toujours en colère. Je me dis malade. Il me regarda dans le nez et cria : "Je n'en crois rien, monsieur. Enfin, allez-vous-en ! Pensez-vous qu'un bureau peut marcher avec des employés pareils ?"

« Mais je filai, je gagnai la Seine. Il faisait un temps comme aujourd'hui ; et je pris la *Mouche* pour faire un tour à Saint-Cloud.

« Ah ! monsieur ! comme mon chef aurait dû m'en refuser la permission !

« Il me sembla que je me dilatais sous le soleil. J'aimais tout, le bateau, la rivière, les arbres, les maisons, mes voisins, tout. J'avais envie d'embrasser quelque chose, n'importe quoi : c'était l'amour qui préparait son piège.

« Tout à coup, au Trocadéro, une jeune fille monta avec un petit paquet à la main, et elle s'assit en face de moi.

« Elle était jolie, oui, monsieur ; mais c'est étonnant comme les femmes vous semblent mieux quand il fait beau, au premier printemps : elles ont un capiteux, un charme, un je ne sais quoi tout particulier. C'est absolument comme du vin qu'on boit après le fromage.

« Je la regardais, et elle aussi elle me regardait — mais seulement de temps en temps, comme la vôtre tout à l'heure. Enfin, à force de nous considérer, il me sembla que nous nous connaissions assez pour entamer conversation, et je lui parlai. Elle répondit. Elle était gentille comme tout, décidément. Elle me grisait, mon cher monsieur !

« A Saint-Cloud, elle descendit — je la suivis. — Elle allait livrer une commande. Quand elle reparut, le bateau venait de partir. Je me mis à marcher à côté d'elle, et la douceur de l'air nous arrachait des soupirs à tous les deux.

« — Il ferait bien bon dans les bois, lui dis-je.

« Elle répondit : "Oh ! oui !"

« — Si nous allions y faire un tour, voulez-vous, mademoiselle ? »

« Elle me guetta en dessous d'un coup d'œil rapide comme pour bien apprécier ce que je valais, puis, après avoir hésité quelque temps, elle accepta. Et nous voilà côte à côte au milieu des arbres. Sous le feuillage un peu grêle encore, l'herbe, haute, drue, d'un vert luisant, comme vernie, était inondée de soleil et pleine de petites bêtes qui s'aimaient aussi. On entendait partout des chants d'oiseaux. Alors ma compagne se mit à courir en gambadant, enivrée d'air et d'effluves champêtres. Et moi je courais derrière en sautant comme elle. Est-on bête, monsieur, par moments !

« Puis elle chanta éperdument mille choses, des airs d'opéra, la chanson de Musette ! La chanson de Musette ! comme elle me sembla poétique alors !... Je pleurais presque. Oh ! ce sont toutes ces balivernes-là qui nous troublent la tête ; ne prenez jamais, croyez-moi, une femme qui chante à la campagne, surtout si elle chante la chanson de Musette !

« Elle fut bientôt fatiguée et s'assit sur un talus vert. Moi, je me mis à ses pieds, et je lui saisis les mains, ses petites mains poivrées de coups d'aiguille ; et cela m'attendrit. Je me disais : "Voici les saintes marques du travail." — Oh ! monsieur, monsieur, savez-vous ce qu'elles signifient, les saintes marques du travail ? Elles veulent dire tous les commérages de l'atelier, les polissonneries chuchotées, l'esprit souillé par toutes les ordures racontées, la chasteté perdue, toute la sottise des bavardages, toute la misère des habitudes quotidiennes, toute l'étroitesse des idées propres aux femmes du commun, installées souverainement dans celle qui porte au bout des doigts les saintes marques du travail.

« Puis nous nous sommes regardés dans les yeux longuement.

« Oh ! cet œil de la femme, quelle puissance il a ! Comme il trouble, envahit, possède, domine ! Comme il semble profond, plein de promesses, d'infini ! On appelle cela se regarder dans l'âme ! Oh ! monsieur, quelle blague ! Si l'on y voyait, dans l'âme, on serait plus sage, allez.

« Enfin, j'étais emballé, fou. Je voulus la prendre dans mes bras. Elle me dit : "A bas les pattes !"

« Alors je m'agenouillai près d'elle et j'ouvris mon cœur ; je versai sur ses genoux toutes les tendresses qui m'étouffaient. Elle parut étonnée de mon changement d'allure, et me considéra d'un regard oblique comme si elle se fût dit : "Ah ! c'est comme ça qu'on joue de toi, mon bon ; eh bien ! nous allons voir."

« En amour, monsieur, nous sommes toujours des naïfs, et les femmes des commerçantes.

« J'aurais pu la posséder, sans doute ; j'ai compris plus tard ma sottise, mais ce que je cherchais, moi, ce n'était pas un corps, c'était de la tendresse, de l'idéal. J'ai fait du sentiment quand j'aurais dû mieux employer mon temps.

« Dès qu'elle en eut assez de mes déclarations, elle se leva ; et nous revînmes à Saint-Cloud. Je ne la quittai qu'à Paris. Elle avait l'air si triste depuis notre retour que je l'interrogeai. Elle répondit : "Je pense que voilà des journées comme on n'en a pas beaucoup dans sa vie." Mon cœur battait à me défoncer la poitrine.

« Je la revis le dimanche suivant, et encore le dimanche d'après, et tous les autres dimanches. Je l'emmenai à Bougival, Saint-Germain, Maison Laffitte, Poissy ; partout où se déroulent les amours de banlieue.

« La petite coquine, à son tour, me "la faisait à la passion".

« Je perdis enfin tout à fait la tête, et, trois mois après, je l'épousai.

« Que voulez-vous, monsieur, on est employé, seul, sans famille, sans conseils ! On se dit que la vie serait douce avec une femme ! Et on l'épouse, cette femme !

« Alors, elle vous injurie du matin au soir, ne comprend rien, ne sait rien, jacasse sans fin, chante à tue-tête la chanson de Musette (oh ! la chanson de Musette, quelle scie !), se bat avec le charbonnier, raconte à la concierge les intimités de son ménage, confie à la bonne du voisin tous les secrets de l'alcôve, débine son mari chez les fournisseurs, et a la tête farcie d'histoires si stupides, de croyances si idiotes, d'opinions si grotesques, de préjugés si prodigieux, que je pleure de découragement, monsieur, toutes les fois que je cause avec elle. »

Il se tut, un peu essoufflé et très ému. Je le regardais, pris de pitié pour ce pauvre diable naïf et j'allais lui répondre quelque chose, quand le bateau s'arrêta. On arrivait à Saint-Cloud.

La petite femme qui m'avait troublé se leva pour descendre. Elle passa près de moi en me jetant un coup d'œil de côté avec un sourire furtif, un de ces sourires qui vous affolent ; puis elle sauta sur le ponton.

Je m'élançai pour la suivre, mais mon voisin me saisit par la manche. Je me dégageai d'un mouvement brusque ; il m'empoigna par les pans de ma redingote, et il me tirait en arrière en répétant : « Vous n'irez pas ! vous n'irez pas ! » d'une voix si haute, que tout le monde se retourna.

Un rire courut autour de nous, et je demeurai immobile, furieux, mais sans audace devant le ridicule et le scandale.

Et le bateau repartit.

La petite femme, restée sur le ponton, me regardait m'éloigner d'un air désappointé, tandis que mon persécuteur me soufflait dans l'oreille en se frottant les mains :

« Je vous ai rendu là un rude service, allez. »

LA FEMME DE PAUL

Le restaurant Grillon, ce phalanstère des canotiers, se vidait lentement. C'était, devant la porte, un tumulte de cris, d'appels; et les grands gaillards en maillot blanc gesticulaient avec des avirons sur l'épaule.

Les femmes, en claire toilette de printemps, embarquaient avec précaution dans leurs yoles, et, s'asseyant à la barre, disposaient leurs robes, tandis que le maître de l'établissement, un fort garçon à barbe rousse, d'une vigueur célèbre, donnait la main aux belles petites en maintenant d'aplomb les frêles embarcations.

Les rameurs prenaient place à leur tour, bras nus et la poitrine bombée, posant pour la galerie, une galerie composée de bourgeois endimanchés, d'ouvriers et de soldats accoudés sur la balustrade du pont et très attentifs à ce spectacle.

Les bateaux, un à un, se détachaient du ponton. Les tireurs se penchaient en avant, puis se renversaient d'un mouvement régulier; et, sous l'impulsion des longues rames recourbées, les yoles rapides glissaient sur la rivière, s'éloignaient, diminuaient, disparaissaient enfin sous l'autre pont, celui du chemin de fer, en descendant vers la *Grenouillère*.

Un couple seul était resté. Le jeune homme, presque imberbe encore, mince, le visage pâle, tenait par la taille sa maîtresse, une petite brune maigre avec des allures de sauterelle; et ils se regardaient parfois au fond des yeux.

Le patron cria: « Allons, monsieur Paul, dépêchez-vous. » Et ils s'approchèrent.

De tous les clients de la maison, M. Paul était le plus aimé et le plus respecté. Il payait bien et régulièrement, tandis que les autres se faisaient longtemps tirer l'oreille à moins qu'ils ne disparussent, insolvables. Puis il constituait pour l'établissement une sorte de réclame vivante, car son père était sénateur. Et quand un étranger demandait: « Qui est-ce donc ce petit-là, qui en tient si fort pour sa donzelle ? », quelque habitué répondait à mi-voix, d'un air important et mystérieux:

« C'est Paul Baron, vous savez ? le fils du sénateur. » Et l'autre, invariablement, ne pouvait s'empêcher de dire : « Le pauvre diable ! il n'est pas à moitié pincé. »

La mère Grillon, une brave femme, entendue au commerce, appelait le jeune homme et sa compagne : « ses deux tourtereaux », et semblait tout attendrie par cet amour avantageux pour sa maison.

Le couple s'en venait à petits pas ; la yole *Madeleine* était prête ; mais, au moment de monter dedans, ils s'embrassèrent, ce qui fit rire le public amassé sur le pont. Et M. Paul, prenant ses rames, partit aussi pour la Grenouillère.

Quand ils arrivèrent, il allait être trois heures, et le grand café flottant regorgeait de monde.

L'immense radeau, couvert d'un toit goudronné que supportent des colonnes de bois, est relié à l'île charmante de Croissy par deux passerelles dont l'une pénètre au milieu de cet établissement aquatique, tandis que l'autre en fait communiquer l'extrémité avec un îlot minuscule planté d'un arbre et surnommé le « Pot-à-Fleurs », et, de là, gagne la terre auprès du bureau des bains.

M. Paul attacha son embarcation le long de l'établissement, il escalada la balustrade du café, puis, prenant les mains de sa maîtresse, il l'enleva et tous deux s'assirent au bout d'une table face à face.

De l'autre côté du fleuve, sur le chemin de halage, une longue file d'équipages s'alignait. Les fiacres alternaient avec des fines voitures de gommeux : les uns lourds, au ventre énorme écrasant les ressorts, attelés d'une rosse au cou tombant, aux genoux cassés ; les autres sveltes, élancées sur des roues minces, avec des chevaux aux jambes grêles et tendues, au cou dressé, aux mors neigeux d'écume, tandis que le cocher, gourmé dans sa livrée, la tête raide en son grand col, demeurait les reins inflexibles et le fouet sur un genou.

La berge était couverte de gens qui s'en venaient par familles, ou par bandes, ou deux par deux, ou solitaires. Ils arrachaient des brins d'herbe, descendaient jusqu'à l'eau, remontaient sur le chemin, et tous arrivés au même endroit, s'arrêtaient, attendant le passeur. Le lourd bachot allait sans fin d'une rive à l'autre, déchargeant dans l'île ses voyageurs.

Le bras de la rivière (qu'on appelle le bras mort), sur lequel donne ce ponton à consommations, semblait dormir, tant le courant était faible. Des flottes de yoles, de skifs, de périssoires, de podoscaphes, de gigs, d'embarcations de toute forme et de toute nature, filaient sur l'onde immobile, se croisant, se mêlant, s'abordant, s'arrêtant brusquement d'une secousse des bras pour s'élancer de nouveau sous une brusque tension des muscles, et glisser vivement comme de longs poissons jaunes ou rouges.

Il en arrivait d'autres sans cesse: les unes de Chatou, en amont; les autres de Bougival, en aval; et des rires allaient sur l'eau d'une barque à l'autre, des appels, des interpellations ou des engueulades. Les canotiers exposaient à l'ardeur du jour la chair brunie et bosselée de leurs biceps; et, pareilles à des fleurs étranges, à des fleurs qui nageraient, les ombrelles de soie rouge, verte, bleue ou jaune des barreuses s'épanouissaient à l'arrière des canots.

Un soleil de juillet flambait au milieu du ciel; l'air semblait plein d'une gaieté brûlante; aucun frisson de brise ne remuait les feuilles des saules et des peupliers.

Là-bas, en face, l'inévitable Mont-Valérien étageait dans la lumière crue ses talus fortifiés; tandis qu'à droite, l'adorable coteau de Louveciennes, tournant avec le fleuve, s'arrondissait en demi-cercle, laissant passer par places, à travers la verdure puissante et sombre des grands jardins, les blanches murailles des maisons de campagne.

Aux abords de la Grenouillère, une foule de promeneurs circulait sous les arbres géants qui font de ce coin de l'île le plus délicieux parc du monde. Des femmes, des filles aux cheveux jaunes, aux seins démesurément rebondis, à la croupe exagérée, au teint plâtré de fard, aux yeux charbonnés, aux lèvres sanguinolentes, lacées, sanglées en des robes extravagantes, traînaient sur les frais gazons le mauvais goût criard de leurs toilettes; tandis qu'à côté d'elles des jeunes gens posaient en leurs accoutrements de gravures de modes, avec des gants clairs, des bottes vernies, des badines grosses comme un fil et des monocles ponctuant la niaiserie de leur sourire.

L'île est étranglée juste à la Grenouillère, et sur l'autre bord, où un bac aussi fonctionne amenant sans cesse les gens de Croissy, le bras rapide, plein de tourbillons, de remous, d'écume, roule avec des allures de torrent. Un détachement de pontonniers, en uniforme d'artilleurs, est campé sur cette berge, et les soldats, assis en ligne sur une longue poutre, regardaient couler l'eau.

Dans l'établissement flottant, c'était une cohue furieuse et hurlante. Les tables de bois, où les consommations répandues faisaient de minces ruisseaux poisseux, étaient couvertes de verres à moitié vides et entourées de gens à moitié gris. Toute cette foule criait, chantait, braillait. Les hommes, le chapeau en arrière, la face rougie, avec des yeux luisants d'ivrognes, s'agitaient en vociférant par un besoin de tapage naturel aux brutes. Les femmes, cherchant une proie pour le soir, se faisaient payer à boire en attendant ; et, dans l'espace libre entre les tables, dominait le public ordinaire du lieu, un bataillon de canotiers *chahuteurs* avec leurs compagnes en courte jupe de flanelle.

Un d'eux se démenait au piano et semblait jouer des pieds et des mains ; quatre couples bondissaient un quadrille ; et des jeunes gens les regardaient, élégants, corrects, qui auraient semblé comme il faut si la tare, malgré tout, n'eût apparu.

Car on sent là, à pleines narines, toute l'écume du monde, toute la crapulerie distinguée, toute la moisissure de la société parisienne : mélange de calicots, de cabotins, d'infimes journalistes, de gentilshommes en curatelle, de boursicotiers véreux, de noceurs tarés, de vieux viveurs pourris ; cohue interlope de tous les êtres suspects, à moitié connus, à moitié perdus, à moitié salués, à moitié déshonorés, filous, fripons, procureurs de femmes, chevaliers d'industrie à l'allure digne, à l'air matamore qui semble dire : « Le premier qui me traite de gredin, je le crève. »

Ce lieu sue la bêtise, pue la canaillerie et la galanterie de bazar. Mâles et femelles s'y valent. Il y flotte une odeur d'amour, et l'on s'y bat pour un oui ou pour un non, afin de soutenir des réputations vermoulues que les coups d'épée et les balles de pistolet ne font que crever davantage.

Quelques habitants des environs y passent en curieux, chaque dimanche ; quelques jeunes gens, très jeunes, y apparaissent chaque année, apprenant à vivre. Des promeneurs, flânant, s'y montrent ; quelques naïfs s'y égarent.

C'est, avec raison, nommé la *Grenouillère.* A côté du radeau couvert où l'on boit, et tout près du « Pot-à-Fleurs », on se baigne. Celles des femmes dont les rondeurs sont suffisantes viennent là montrer à nu leur étalage et faire le client. Les autres, dédaigneuses, bien qu'amplifiées par le coton, étayées de ressorts, redressées par-ci, modifiées par-là, regardent d'un air méprisant barboter leurs sœurs.

Sur une petite plate-forme, les nageurs se pressent pour piquer leur tête. Ils sont longs comme des échalas, ronds comme des citrouilles, noueux comme des branches d'olivier, courbés en avant ou rejetés en arrière par l'ampleur du ventre, et, invariablement laids, ils sautent dans l'eau qui rejaillit jusque sur les buveurs du café.

Malgré les arbres immenses penchés sur la maison flottante et malgré le voisinage de l'eau, une chaleur suffocante emplissait ce lieu. Les émanations des liqueurs répandues se mêlaient à l'odeur des corps et à celle des parfums violents dont la peau des marchandes d'amour était pénétrée et qui s'évaporaient dans cette fournaise. Mais sous toutes ces senteurs diverses flottait un arôme léger de poudre de riz qui parfois disparaissait, reparaissait, qu'on retrouvait toujours, comme si quelque main cachée eût secoué dans l'air une houppe invisible.

Le spectacle était sur le fleuve, où le va-et-vient incessant des barques tirait les yeux. Les canotières s'étalaient dans leur fauteuil en face de leurs mâles aux forts poignets, et elles considéraient avec mépris les quêteuses de dîners rôdant par l'île.

Quelquefois, quand une équipe lancée passait à toute vitesse, les amis descendus à terre poussaient des cris, et tout le public, subitement pris de folie, se mettait à hurler.

Au coude de la rivière, vers Chatou, se montraient sans cesse des barques nouvelles. Elles approchaient, grandissaient, et, à mesure qu'on reconnaissait les visages, d'autres vociférations partaient.

Un canot couvert d'une tente et monté par quatre femmes descendait lentement le courant. Celle qui ramait était petite, maigre, fanée, vêtue d'un costume de mousse avec ses cheveux relevés sous un chapeau ciré. En face d'elle, une grosse blonde habillée en homme, avec un veston de flanelle blanche, se tenait couchée sur le dos au fond du bateau, les jambes en l'air sur le banc des deux côtés de la rameuse, et elle fumait une cigarette, tandis qu'à chaque effort des avirons sa poitrine et son ventre frémissaient, ballottés par la secousse. Tout à l'arrière, sous la tente, deux belles filles grandes et minces, l'une brune et l'autre blonde, se tenaient par la taille en regardant sans cesse leurs compagnes.

Un cri partit de la Grenouillère : « V'là Lesbos ! » et, tout à coup, ce fut une clameur furieuse ; une bousculade effrayante eut lieu ; les verres tombaient ; on montait sur les tables ; tous, dans un délire de bruit, vociféraient : « Lesbos ! Lesbos ! Lesbos ! » Le cri roulait, devenait indistinct, ne formait plus qu'une sorte de hurlement effroyable, puis, soudain, il semblait s'élancer de nouveau, monter par l'espace, couvrir la plaine, emplir le feuillage épais des grands arbres, s'étendre aux lointains coteaux, aller jusqu'au soleil.

La rameuse, devant cette ovation, s'était arrêtée tranquillement. La grosse blonde étendue au fond du canot tourna la tête d'un air nonchalant, se soulevant sur les coudes ; et les deux belles filles, à l'arrière, se mirent à rire en saluant la foule.

Alors la vocifération redoubla, faisant trembler l'établissement flottant. Les hommes levaient leurs chapeaux, les femmes agitaient leurs mouchoirs, et toutes les voix, aiguës ou graves, criaient ensemble : « Lesbos ! » On eût dit que ce peuple, ce ramassis de corrompus, saluait un chef, comme ces escadres qui tirent le canon quand un amiral passe sur leur front.

La flotte nombreuse des barques acclamait aussi le canot des femmes, qui repartit de son allure somnolente pour aborder un peu plus loin.

M. Paul, au contraire des autres, avait tiré une clef de sa poche, et, de toute sa force, il sifflait. Sa maîtresse, nerveuse, pâlie encore, lui tenait le bras pour le faire taire et elle le regardait cette fois avec une rage dans les yeux. Mais lui, semblait exaspéré, comme soulevé par une jalousie d'homme, par une fureur profonde, instinctive, désordonnée. Il balbutia, les lèvres tremblantes d'indignation :

« C'est honteux ! on devrait les noyer comme des chiennes avec une pierre au cou. »

Mais Madeleine, brusquement, s'emporta ; sa petite voix aigre devint sifflante, et elle parlait avec volubilité, comme pour plaider sa propre cause :

« Est-ce que ça te regarde, toi ? Sont-elles pas libres de faire ce qu'elles veulent, puisqu'elles ne doivent rien à personne ? Fiche-nous la paix avec tes manières et mêle-toi de tes affaires... »

Mais il lui coupa la parole.

« C'est la police que ça regarde, et je les ferai flanquer à Saint-Lazare, moi ! »

Elle eut un soubresaut :

« Toi ?

— Oui, moi ! Et, en attendant, je te défends de leur parler, tu entends, je te le défends. »

Alors elle haussa les épaules, et calmée tout à coup :

« Mon petit, je ferai ce qui me plaira ; si tu n'es pas content, file, et tout de suite. Je ne suis pas ta femme, n'est-ce pas ? Alors tais-toi. »

Il ne répondit pas et ils restèrent face à face, avec la bouche crispée et la respiration rapide.

A l'autre bout du grand café de bois, les quatre femmes faisaient leur entrée. Les deux costumées en homme marchaient devant : l'une maigre, pareille à un garçonnet vieillot avec des teintes jaunes sur les tempes ; l'autre, emplissant de sa graisse ses vêtements de flanelle blanche, bombant de sa croupe le large pantalon, se balançant comme une oie grasse, ayant les cuisses énormes et les genoux rentrés. Leurs deux amies les suivaient et la foule des canotiers venait leur serrer les mains.

Elles avaient loué toutes les quatre un petit chalet au bord de l'eau, et elles vivaient là, comme auraient vécu deux ménages.

Leur vice était public, officiel, patent. On en parlait comme d'une chose naturelle, qui les rendait presque sympathiques, et l'on chuchotait tout bas des histoires étranges, des drames nés de furieuses jalousies féminines, et des visites secrètes de femmes connues, d'actrices, à la petite maison du bord de l'eau.

Un voisin, révolté de ces bruits scandaleux, avait prévenu la gendarmerie, et le brigadier, suivi d'un homme, était venu faire une enquête. La mission était délicate ; on ne pouvait, en somme, rien reprocher à ces femmes, qui ne se livraient point à la prostitution. Le brigadier, fort perplexe, ignorant même à peu près la nature des délits soupçonnés, avait interrogé à l'aventure, et fait un rapport monumental concluant à l'innocence.

On en avait ri jusqu'à Saint-Germain.

Elles traversaient à petits pas, comme des reines, l'établissement de la Grenouillère ; et elles semblaient fières de leur célébrité, heureuses des regards fixés sur elles, supérieures à cette foule, à cette tourbe, à cette plèbe.

Madeleine et son amant les regardaient venir, et dans l'œil de la fille une flamme s'allumait.

Lorsque les deux premières furent au bout de la table, Madeleine cria : « Pauline ! » La grosse se retourna, s'arrêta, tenant toujours le bras de son moussaillon femelle.

« Tiens ! Madeleine... Viens donc me parler, ma chérie. »

Paul crispa ses doigts sur le poignet de sa maîtresse ; mais elle lui dit d'un tel air : « Tu sais, mon p'tit, tu peux filer », qu'il se tut et resta seul.

Alors elles causèrent tout bas, debout, toutes les trois. Des gaietés heureuses passaient sur leurs lèvres ; elles parlaient vite ; et Pauline, par instants, regardait Paul à la dérobée avec un sourire narquois et méchant.

A la fin, n'y tenant plus, il se leva soudain et fut près d'elle d'un élan, tremblant de tous ses membres. Il saisit Madeleine par les épaules : « Viens, je le veux, dit-il, je t'ai défendu de parler à ces gueuses. »

Mais Pauline éleva la voix et se mit à l'engueuler avec son

répertoire de poissarde. On riait alentour ; on s'approchait ; on se haussait sur le bout des pieds afin de mieux voir, et lui restait interdit sous cette pluie d'injures fangeuses ; il lui semblait que les mots sortant de cette bouche et tombant sur lui le salissaient comme des ordures, et, devant le scandale qui commençait, il recula, retourna sur ses pas, et s'accouda sur la balustrade vers le fleuve, le dos tourné aux trois femmes victorieuses.

Il resta là, regardant l'eau, et parfois, avec un geste rapide, comme s'il l'eût arrachée, il enlevait d'un doigt nerveux une larme formée au coin de son œil.

C'est qu'il aimait éperdument, sans savoir pourquoi, malgré ses instincts délicats, malgré sa raison, malgré sa volonté même. Il était tombé dans cet amour comme on tombe dans un trou bourbeux. D'une nature attendrie et fine, il avait rêvé des liaisons exquises, idéales et passionnées ; et voilà que ce petit criquet de femme, bête, comme toutes les filles, d'une bêtise exaspérante, pas jolie même, maigre et rageuse, l'avait pris, captivé, possédé des pieds à la tête, corps et âme. Il subissait cet ensorcellement féminin, mystérieux et tout-puissant, cette force inconnue, cette domination prodigieuse, venue on ne sait d'où, du démon de la chair, et qui jette l'homme le plus sensé aux pieds d'une fille quelconque sans que rien en elle explique son pouvoir fatal et souverain.

Et là, derrière son dos, il sentait qu'une chose infâme s'apprêtait. Des rires lui entraient au cœur. Que faire ? Il le savait bien, mais ne le pouvait pas.

Il regardait fixement, sur la berge en face, un pêcheur à la ligne immobile.

Soudain le bonhomme enleva brusquement du fleuve un petit poisson d'argent qui frétillait au bout du fil. Puis il essaya de retirer son hameçon, le tordit, le tourna, mais en vain ; alors, pris d'impatience, il se mit à tirer, et tout le gosier saignant de la bête sortit avec un paquet d'entrailles. Et Paul frémit, déchiré lui-même jusqu'au cœur ; il lui sembla que cet hameçon c'était son amour et que, s'il fallait l'arracher, tout ce qu'il avait dans la poitrine sortirait ainsi au bout d'un fer recourbé, accroché au fond de lui, et dont Madeleine tenait le fil.

Une main se posa sur son épaule ; il eut un sursaut, se tourna ; sa maîtresse était à son côté. Ils ne se parlèrent pas ; et elle s'accouda comme lui à la balustrade, les yeux fixés sur la rivière.

Il cherchait ce qu'il devait dire, et ne trouvait rien. Il ne parvenait même pas à démêler ce qui se passait en lui ; tout ce qu'il éprouvait, c'était une joie de la sentir là, près de lui, revenue, et une lâcheté honteuse, un besoin de pardonner tout, de tout permettre pourvu qu'elle ne le quittât point.

Enfin, au bout de quelques minutes, il lui demanda d'une voix très douce : « Veux-tu que nous nous en allions ? Il ferait meilleur dans le bateau. »

Elle répondit : « Oui, mon chat. »

Et il l'aida à descendre dans la yole, la soutenant, lui serrant les mains, tout attendri, avec quelques larmes encore dans les yeux. Alors elle le regarda en souriant et ils s'embrassèrent de nouveau.

Ils remontèrent le fleuve tout doucement, longeant la rive plantée de saules, couverte d'herbes, baignée et tranquille dans la tiédeur de l'après-midi.

Lorsqu'ils furent revenus au restaurant Grillon, il était à peine six heures ; alors, laissant leur yole, ils partirent à pied dans l'île, vers Bezons, à travers les prairies, le long des hauts peupliers qui bordent le fleuve.

Les grands foins, prêts à être fauchés, étaient remplis de fleurs. Le soleil qui baissait étalait dessus une nappe de lumière rousse, et, dans la chaleur adoucie du jour finissant, les flottantes exhalaisons de l'herbe se mêlaient aux humides senteurs du fleuve, imprégnaient l'air d'une langueur tendre, d'un bonheur léger, comme d'une vapeur de bien-être.

Une molle défaillance venait aux cœurs, et une espèce de communion avec cette splendeur calme du soir, avec ce vague et mystérieux frisson de vie épandue, avec cette poésie pénétrante, mélancolique, qui semblait sortir des plantes, des choses, s'épanouir, révélée aux sens en cette heure douce et recueillie.

Il sentait tout cela, lui ; mais elle ne le comprenait pas, elle. Ils marchaient côte à côte ; et soudain, lasse de se taire, elle chanta. Elle chanta de sa voix aigrelette et fausse quelque chose qui courait les rues, un air traînant dans les mémoires, qui déchira brusquement la profonde et sereine harmonie du soir.

Alors il la regarda, et il sentit entre eux un infranchissable abîme. Elle battait les herbes de son ombrelle, la tête un peu baissée, contemplant ses pieds, et chantant, filant des sons, essayant des roulades, osant des trilles.

Son petit front étroit, qu'il aimait tant, était donc vide, vide ! Il n'y avait là-dedans que cette musique de serinette ; et les pensées qui s'y formaient par hasard étaient pareilles à cette musique. Elle ne comprenait rien de lui ; ils étaient plus séparés que s'ils ne vivaient pas ensemble. Ses baisers n'allaient donc jamais plus loin que les lèvres?

Alors elle releva les yeux vers lui et sourit encore. Il fut remué jusqu'aux moelles, et, ouvrant les bras, dans un redoublement d'amour, il l'étreignit passionnément.

Comme il chiffonnait sa robe, elle finit par se dégager, en murmurant par compensation: «Va, je t'aime bien, mon chat.»

Mais il la saisit par la taille, et, pris de folie, l'entraîna en courant et il l'embrassait sur la joue, sur la tempe, sur le cou, tout en sautant d'allégresse. Ils s'abattirent, haletants, au pied d'un buisson incendié par les rayons du soleil couchant, et, avant d'avoir repris haleine, ils s'unirent, sans qu'elle comprît son exaltation.

Ils revenaient en se tenant les deux mains, quand soudain, à travers les arbres, ils aperçurent sur la rivière le canot monté par les quatre femmes. La grosse Pauline aussi les vit, car elle se redressa, envoyant à Madeleine des baisers. Puis elle cria: «A ce soir!»

Madeleine répondit: «A ce soir!»

Paul crut sentir soudain son cœur enveloppé de glace.

Et ils rentrèrent pour dîner.

Ils s'installèrent sous une des tonnelles au bord de l'eau et se mirent à manger en silence. Quand la nuit fut venue, on apporta une bougie, enfermée dans un globe de verre, qui les éclairait d'une lueur faible et vacillante; et l'on entendait à tout moment les explosions de cris des canotiers dans la grande salle du premier.

Vers le dessert, Paul, prenant tendrement la main de Madeleine, lui dit: «Je me sens très fatigué, ma mignonne; si tu veux, nous nous coucherons de bonne heure.»

Mais elle avait compris la ruse et elle lui lança ce regard énigmatique, ce regard à perfidies qui apparaît si vite au fond de l'œil de la femme. Puis, après avoir réfléchi, elle répondit: «Tu te coucheras si tu veux, moi j'ai promis d'aller au bal de la Grenouillère.»

Il eut un sourire lamentable, un de ces sourires dont on voile les plus horribles souffrances, mais il répondit d'un ton caressant et navré: «Si tu étais bien gentille nous resterions tous les deux.» Elle fit «non» de la tête sans ouvrir la bouche. Il insista: «T'en prie! ma bichette.» Alors elle rompit brusquement: «Tu sais ce que je t'ai dit. Si tu n'es pas content, la porte est ouverte. On ne te retient pas. Quant à moi, j'ai promis; j'irai.»

Il posa ses deux coudes sur la table, enferma son front dans ses mains, et resta là, rêvant douloureusement.

Les canotiers redescendirent en braillant toujours. Ils repartaient dans leurs yoles pour le bal de la Grenouillère.

Madeleine dit à Paul : « Si tu ne viens pas, décide-toi, je demanderai à un de ces messieurs de me conduire. »

Paul se leva : « Allons ! » murmura-t-il.

Et ils partirent.

La nuit était noire, pleine d'astres, parcourue par une haleine embrasée, par un souffle pesant, chargé d'ardeurs, de fermentations, de germes vifs qui, mêlés à la brise, l'alentissaient. Elle promenait sur les visages une caresse chaude, faisait respirer plus vite, haleter un peu, tant elle semblait épaissie et lourde.

Les yoles se mettaient en route, portant à l'avant une lanterne vénitienne. On ne distinguait point les embarcations, mais seulement ces petits falots de couleur, rapides et dansants, pareils à des lucioles en délire ; et des voix couraient dans l'ombre de tous côtés.

La yole des deux jeunes gens glissait doucement. Parfois, quand un bateau lancé passait près d'eux, ils apercevaient soudain le dos blanc du canotier éclairé par sa lanterne.

Lorsqu'ils eurent tourné le coude de la rivière, la Grenouillère leur apparut dans le lointain. L'établissement en fête était orné de girandoles, de guirlandes en veilleuses de couleur, de grappes de lumières. Sur la Seine circulaient lentement quelques gros bachots représentant des dômes, des pyramides, des monuments compliqués en feux de toutes nuances. Des festons enflammés traînaient jusqu'à l'eau ; et quelquefois un falot rouge ou bleu, au bout d'une immense canne à pêche invisible, semblait une grosse étoile balancée.

Toute cette illumination répandait une lueur alentour du café, éclairait de bas en haut les grands arbres de la berge dont le tronc se détachait en gris pâle, et les feuilles en vert laiteux, sur le noir profond des champs et du ciel.

L'orchestre, composé de cinq artistes de banlieue, jetait au loin sa musique de bastringue, maigre et sautillante, qui fit de nouveau chanter Madeleine.

Elle voulut tout de suite entrer. Paul désirait auparavant faire un tour dans l'île ; mais il dut céder.

L'assistance s'était épurée. Les canotiers presque seuls restaient avec quelques bourgeois clairsemés et quelques jeunes gens flanqués de filles. Le directeur et organisateur de ce cancan, majestueux dans un habit noir fatigué, promenait en tous sens sa tête ravagée de vieux marchand de plaisirs publics à bon marché.

La grosse Pauline et ses compagnes n'étaient pas là; et Paul respira.

On dansait: les couples face à face cabriolaient éperdument, jetaient leurs jambes en l'air jusqu'au nez des vis-à-vis. Les femmes, désarticulées des cuisses, bondissaient dans un enveloppement de jupes révélant leurs dessous. Leurs pieds s'élevaient au-dessus de leurs têtes avec une facilité surprenante, et elles balançaient leurs ventres, frétillaient de la croupe, secouaient leurs seins, répandant autour d'elles une senteur énergique de femmes en sueur.

Les mâles s'accroupissaient comme des crapauds avec des gestes obscènes, se contorsionnaient, grimaçants et hideux, faisaient la roue sur les mains, ou bien, s'efforçant d'être drôles, esquissaient des manières avec une grâce ridicule.

Une grosse bonne et deux garçons servaient les consommations.

Ce café-bateau, couvert seulement d'un toit, n'ayant aucune cloison qui le séparât du dehors, la danse échevelée s'étalait en face de la nuit pacifique et du firmament poudré d'astres.

Tout à coup le Mont-Valérien, là-bas, en face, sembla s'éclairer comme si un incendie se fût allumé derrière. La lueur s'étendit, s'accentua, envahissant peu à peu le ciel, décrivant un grand cercle lumineux, d'une lumière pâle et blanche. Puis quelque chose de rouge apparut, grandit, d'un rouge ardent comme un métal sur l'enclume. Cela se développait lentement en rond, semblait sortir de la terre; et la lune, se détachant bientôt de l'horizon, monta doucement dans l'espace. A mesure qu'elle s'élevait, sa nuance pourpre s'atténuait, devenait jaune, d'un jaune clair, éclatant; et l'astre paraissait diminuer à mesure qu'il s'éloignait.

Paul le regardait depuis longtemps, perdu dans cette contemplation, oubliant sa maîtresse. Quand il se retourna, elle avait disparu.

Il la chercha, mais ne la trouva pas. Il parcourait les tables d'un œil anxieux, allant et revenant sans cesse, interrogeant l'un et l'autre. Personne ne l'avait vue.

Il errait ainsi, martyrisé d'inquiétude, quand un des garçons lui dit: « C'est madame Madeleine que vous cherchez? Elle vient de partir tout à l'heure en compagnie de madame Pauline. » Et, au même moment, Paul apercevait, debout à l'autre extrémité du café, le mousse et les deux belles filles, toutes trois liées par la taille, et qui le guettaient en chuchotant.

Il comprit, et, comme un fou, s'élança dans l'île.

Il courut d'abord vers Chatou, mais, devant la plaine, il retourna sur ses pas. Alors il se mit à fouiller l'épaisseur des taillis, à vagabonder éperdument, s'arrêtant parfois pour écouter.

Les crapauds, par tout l'horizon, lançaient leur note métallique et courte.

Vers Bougival un oiseau inconnu modulait quelques sons qui arrivaient affaiblis par la distance. Sur les larges gazons la lune versait une molle clarté, comme une poussière de ouate ; elle pénétrait les feuillages, faisait couler sa lumière sur l'écorce argentée des peupliers, criblait de sa pluie brillante les sommets frémissants des grands arbres. La grisante poésie de cette soirée d'été entrait dans Paul malgré lui, traversait son angoisse affolée, remuait son cœur avec une ironie féroce, développant jusqu'à la rage en son âme douce et contemplative ses besoins d'idéale tendresse, d'épanchements passionnés dans le sein d'une femme adorée et fidèle.

Il fut contraint de s'arrêter, étranglé par des sanglots précipités, déchirants.

La crise passée, il repartit.

Soudain il reçut comme un coup de couteau ; on s'embrassait, là, derrière ce buisson. Il y courut ; c'était un couple d'amoureux, dont les deux silhouettes s'éloignèrent vivement à son approche, enlacées, unies dans un baiser sans fin.

Il n'osait pas appeler, sachant bien qu'Elle ne répondrait point ; et il avait aussi une peur affreuse de les découvrir tout à coup.

Les ritournelles des quadrilles avec les solos déchirants du piston, les rires faux de la flûte, les rages aiguës du violon lui tiraillaient le cœur, exaspérant sa souffrance. La musique enragée, boitillante, courait sous les arbres, tantôt affaiblie, tantôt grossie dans un souffle passager de brise.

Tout à coup il se dit qu'Elle était revenue peut-être ? Oui ! elle était revenue ! pourquoi pas ? Il avait perdu la tête sans raison, stupidement emporté par ses terreurs, par les soupçons désordonnés qui l'envahissaient depuis quelque temps.

Et, saisi par une de ces accalmies singulières qui traversent parfois les plus grands désespoirs, il retourna vers le bal.

D'un coup d'œil il parcourut la salle. Elle n'était pas là. Il fit le tour des tables, et brusquement se trouva de nouveau face à face avec les trois femmes. Il avait apparemment une figure désespérée et drôle, car toutes trois ensemble éclatèrent de gaieté.

Il se sauva, repartit dans l'île, se rua à travers les taillis, haletant. — Puis il écouta de nouveau — il écouta longtemps, car ses oreilles bourdonnaient ; mais, enfin, il crut entendre un peu plus loin un petit rire perçant qu'il connaissait bien ; et il avança tout doucement, rampant, écartant les branches, la poitrine tellement secouée par son cœur qu'il ne pouvait respirer.

Deux voix murmuraient des paroles qu'il n'entendait pas encore. Puis elles se turent.

Alors il eut une envie immense de fuir, de ne pas voir, de ne pas savoir, de se sauver pour toujours, loin de cette passion furieuse qui le ravageait. Il allait retourner à Chatou, prendre le train, et ne reviendrait plus, ne la reverrait plus jamais. Mais son image brusquement l'envahit, et il l'aperçut dans sa pensée quand elle s'éveillait au matin, dans leur lit tiède, se pressait câline contre lui, jetant ses bras à son cou, avec ses cheveux répandus, un peu mêlés sur le front, avec ses yeux fermés encore et ses lèvres ouvertes pour le premier baiser ; et le souvenir subit de cette caresse matinale l'emplit d'un regret frénétique et d'un désir forcené.

On parlait de nouveau ; et il s'approcha, courbé en deux. Puis un léger cri courut sous les branches tout près de lui ! Un cri ! Un de ces cris d'amour qu'il avait appris à connaître aux heures éperdues de leur tendresse. Il avançait encore, toujours, comme malgré lui, attiré invinciblement, sans avoir conscience de rien... et il les vit.

Oh ! si c'eût été un homme, l'autre ! mais cela ! cela ! Il se sentait enchaîné par leur infamie même. Et il restait là, anéanti, bouleversé comme s'il eût découvert tout à coup un cadavre cher et mutilé, un crime contre nature, monstrueux, une immonde profanation.

Alors, dans un éclair de pensée involontaire, il songea au petit poisson dont il avait vu arracher les entrailles... Mais Madeleine murmura : « Pauline ! » du même ton passionné qu'elle disait : « Paul ! » et il fut traversé d'une telle douleur qu'il s'enfuit de toutes ses forces.

Il heurta deux arbres, tomba sur une racine, repartit, et se trouva soudain devant le fleuve, devant le bras rapide éclairé par la lune. Le courant torrentueux faisait de grands tourbillons où se jouait la lumière. La berge haute dominait l'eau comme une falaise, laissant à son pied une large bande obscure où les remous s'entendaient dans l'ombre.

Sur l'autre rive, les maisons de campagne de Croissy s'étageaient en pleine clarté.

Paul vit tout cela comme dans un songe, comme à travers un souvenir ; il ne songeait à rien, ne comprenait rien, et toutes les choses, son existence même, lui apparaissaient vaguement, lointaines, oubliées, finies.

Le fleuve était là. Comprit-il ce qu'il faisait ? Voulut-il mourir ? Il était fou. Il se retourna cependant vers l'île, vers Elle ; et, dans l'air calme de la nuit où dansaient toujours les refrains affaiblis et obstinés du bastringue, il lança d'une voix désespérée, suraiguë, surhumaine, un effroyable cri : « Madeleine ! »

Son appel déchirant traversa le large silence du ciel, courut par tout l'horizon.

Puis, d'un bond formidable, d'un bond de bête, il sauta dans la rivière. L'eau jaillit, se referma, et, de la place où il avait disparu, une succession de grands cercles partit, élargissant jusqu'à l'autre berge leurs ondulations brillantes.

Les deux femmes avaient entendu. Madeleine se dressa : « C'est Paul. » Un soupçon surgit en son âme. « Il s'est noyé », dit-elle. Et elle s'élança vers la rive où la grosse Pauline la rejoignit.

Un lourd bachot monté par deux hommes tournait et retournait sur place. Un des bateliers ramait, l'autre enfonçait dans l'eau un grand bâton et semblait chercher quelque chose. Pauline cria : « Que faites-vous ? Qu'y a-t-il ? » Une voix inconnue répondit : « C'est un homme qui vient de se noyer. »

Les deux femmes, serrées l'une contre l'autre, hagardes, suivaient les évolutions de la barque. La musique de la Grenouillère folâtrait toujours au loin, semblait accompagner en cadence les mouvements des sombres pêcheurs ; et la rivière qui cachait maintenant un cadavre, tournoyait, illuminée.

Les recherches se prolongeaient. L'attente horrible faisait grelotter Madeleine. Enfin, après une demi-heure au moins, un des hommes annonça : « Je le tiens ! » Et il fit remonter sa longue gaffe doucement, tout doucement. Puis quelque chose de gros apparut à la surface de l'eau. L'autre marinier quitta ses rames, et tous deux, unissant leurs forces, halant sur la masse inerte, la firent culbuter dans leur bateau.

Ensuite ils gagnèrent la terre, en cherchant une place éclairée et basse. Au moment où ils abordaient, les femmes arrivaient aussi.

Dès qu'elle le vit, Madeleine recula d'horreur. Sous la lumière de la lune, il semblait vert déjà, avec sa bouche, ses yeux, son nez, ses habits pleins de vase. Ses doigts fermés et raidis étaient affreux. Une espèce d'enduit noirâtre et liquide couvrait tout son corps. La figure paraissait enflée, et de ses cheveux collés par le limon une eau sale coulait sans cesse.

Les deux hommes l'examinèrent.

« Tu le connais ? » dit l'un.

L'autre, le passeur de Croissy, hésitait : « Oui, il me semble bien que j'ai vu cette tête-là ; mais tu sais, comme ça, on ne reconnaît pas très bien. » Puis, soudain : « Mais c'est monsieur Paul !

— Qui ça, monsieur Paul ? » demanda son camarade.

Le premier reprit :

« Mais M. Paul Baron, le fils du sénateur, ce p'tit qu'était si amoureux. »

L'autre ajouta philosophiquement :

« Eh bien, il a fini de rigoler maintenant ; c'est dommage tout de même quand on est riche ! »

Madeleine sanglotait, tombée par terre. Pauline s'approcha du corps et demanda : « Est-ce qu'il est bien mort ? — tout à fait ? »

Les hommes haussèrent les épaules : « Oh ! après ce temps-là ! pour sûr ! »

Puis l'un d'eux interrogea : « C'est chez Grillon qu'il logeait ? — Oui, reprit l'autre ; faut le reconduire, y aura de la braise. »

Ils remontèrent dans leur bateau et repartirent, s'éloignant lentement à cause du courant rapide ; et longtemps encore après qu'on ne les vit plus de la place où les femmes étaient restées, on entendit tomber dans l'eau les coups réguliers des avirons.

Alors Pauline prit dans ses bras la pauvre Madeleine éplorée, la câlina, l'embrassa longtemps, la consola : « Que veux-tu, ce n'est point ta faute, n'est-ce pas ? On ne peut pourtant pas empêcher les hommes de faire des bêtises. Il l'a voulu, tant pis pour lui, après tout ! » Puis, la relevant : « Allons, ma chérie, viens-t'en coucher à la maison : tu ne peux pas rentrer chez Grillon ce soir. » Elle l'embrassa de nouveau : « Va, nous te guérirons », dit-elle.

Madeleine se releva, et pleurant toujours, mais avec des sanglots affaiblis, la tête sur l'épaule de Pauline, comme réfugiée dans une tendresse plus intime et plus sûre, plus familière et plus confiante, elle partit à tout petits pas.

(1881 ou antérieur)

LE GUEUX

Il avait connu des jours meilleurs, malgré sa misère et son infirmité.

A l'âge de quinze ans, il avait eu les deux jambes écrasées par une voiture sur la grand-route de Varville. Depuis ce temps-là, il mendiait en se traînant le long des chemins, à travers les cours des fermes, balancé sur ses béquilles qui lui avaient fait remonter les épaules à la hauteur des oreilles. Sa tête semblait enfoncée entre deux montagnes.

Enfant trouvé dans un fossé par le curé des Billettes, la veille du jour des Morts, et baptisé pour cette raison Nicolas Toussaint, élevé par charité, demeuré étranger à toute instruction, estropié après avoir bu quelques verres d'eau-de-vie offerts par le boulanger du village, histoire de rire, et, depuis lors vagabond, il ne savait rien faire autre chose que tendre la main.

Autrefois la baronne d'Avary lui abandonnait pour dormir une espèce de niche pleine de paille, à côté du poulailler, dans la ferme attenante au château : et il était sûr, aux jours de grande famine, de trouver toujours un morceau de pain et un verre de cidre à la cuisine. Souvent il recevait encore là quelques sols jetés par la vieille dame du haut de son perron ou des fenêtres de sa chambre. Maintenant elle était morte.

Dans les villages, on ne lui donnait guère : on le connaissait trop ; on était fatigué de lui depuis quarante ans qu'on le voyait promener de masure en masure son corps loqueteux et difforme sur ses deux pattes de bois. Il ne voulait point s'en aller cependant, parce qu'il ne connaissait pas autre chose sur la terre que ce coin de pays, ces trois ou quatre hameaux où il avait traîné sa vie misérable. Il avait mis des frontières à sa mendicité et il n'aurait jamais passé les limites qu'il était accoutumé de ne point franchir.

Il ignorait si le monde s'étendait encore loin derrière les arbres qui avaient borné sa vue. Il ne se le demandait pas. Et quand les paysans, las de le rencontrer toujours au bord de leurs champs ou le long de leurs fossés, lui criaient :

— Pourquoi qu' tu n' vas point dans l's autes villages, au lieu d' béquiller toujours par ci ?

Il ne répondait pas et s'éloignait, saisi d'une peur vague de l'inconnu, d'une peur de pauvre qui redoute confusément mille choses, les visages nouveaux, les injures, les regards soupçonneux des gens qui ne le connaissaient pas, et les gendarmes qui vont deux par deux sur les routes et qui le faisaient plonger, par instinct, dans les buissons ou derrière les tas de cailloux.

Quand il les apercevait au loin, reluisants sous le soleil, il trouvait soudain une agilité singulière, une agilité de monstre pour gagner quelque cachette. Il dégringolait de ses béquilles, se laissait tomber à la façon d'une loque, et il se roulait en boule, devenait tout petit, invisible, rasé comme un lièvre au gîte, confondant ses haillons bruns avec la terre.

Il n'avait pourtant jamais eu d'affaires avec eux. Mais il portait cela dans le sang, comme s'il eût reçu cette crainte et cette ruse de ses parents, qu'il n'avait point connus.

Il n'avait pas de refuge, pas de toit, pas de hutte, pas d'abri. Il dormait partout, en été, et l'hiver il se glissait sous les granges ou dans les étables avec une adresse remarquable. Il déguerpissait toujours avant qu'on se fût aperçu de sa présence. Il connaissait les trous pour pénétrer dans les bâtiments ; et le maniement des béquilles ayant rendu ses bras d'une vigueur surprenante, il grimpait à la seule force des poignets jusque dans les greniers à fourrages où il demeurait parfois quatre ou cinq jours sans bouger, quand il avait recueilli dans sa tournée des provisions suffisantes.

Il vivait comme les bêtes des bois, au milieu des hommes, sans connaître personne, sans aimer personne, n'excitant chez les paysans qu'une sorte de mépris indifférent et d'hostilité résignée. On l'avait surnommé « Cloche », parce qu'il se balançait, entre ses deux piquets de bois, ainsi qu'une cloche entre ses portants.

Depuis deux jours, il n'avait point mangé. Personne ne lui donnait plus rien. On ne voulait plus de lui à la fin. Les paysannes, sur leurs portes, lui criaient de loin en le voyant venir :

— Veux-tu bien t'en aller, manant ! V'là pas trois jours que j't'ai donné un morciau d'pain !

Et il pivotait sur ses tuteurs et s'en allait à la maison voisine, où on le recevait de la même façon.

Les femmes déclaraient, d'une porte à l'autre :

— On n'peut pourtant pas nourrir ce fainéant toute l'année.

Cependant le fainéant avait besoin de manger tous les jours.

Il avait parcouru Saint-Hilaire, Varville et les Billettes, sans récolter un centime ou une vieille croûte. Il ne lui restait d'espoir qu'à Tournolles; mais il lui fallait faire deux lieues sur la grand-route, et il se sentait las à ne plus se traîner, ayant le ventre aussi vide que sa poche.

Il se mit en marche pourtant.

C'était en décembre, un vent froid courait sur les champs, sifflait dans les branches nues; et les nuages galopaient à travers le ciel bas et sombre, se hâtant on ne sait où. L'estropié allait lentement, déplaçant ses supports l'un après l'autre d'un effort pénible, en se calant sur la jambe tordue qui lui restait, terminée par un pied bot et chaussé d'une loque.

De temps en temps, il s'asseyait sur le fossé et se reposait quelques minutes. La faim jetait une détresse dans son âme confuse et lourde. Il n'avait qu'une idée: « manger », mais il ne savait par quel moyen.

Pendant trois heures, il peina sur le long chemin; puis quand il aperçut les arbres du village, il hâta ses mouvements.

Le premier paysan qu'il rencontra, et auquel il demanda l'aumône, lui répondit:

— Te r'voilà encore, vieille pratique! Je s'rons donc jamais débarrassé de té?

Et Cloche s'éloigna. De porte en porte on le rudoya, on le renvoya sans lui rien donner. Il continuait cependant sa tournée, patient et obstiné. Il ne recueillit pas un sou.

Alors il visita les fermes, déambulant à travers les terres molles de pluie, tellement exténué qu'il ne pouvait plus lever ses bâtons. On le chassa de partout. C'était un de ces jours froids et tristes où les cœurs se serrent, où les esprits s'irritent, où l'âme est sombre, où la main ne s'ouvre ni pour donner ni pour secourir.

Quand il eut fini la visite de toutes les maisons qu'il connaissait, il alla s'abattre au coin d'un fossé, le long de la cour de maître Chiquet. Il se décrocha, comme on disait pour exprimer comment il se laissait tomber entre ses hautes béquilles en les faisant glisser sous ses bras. Et il resta longtemps immobile, torturé par la faim, mais trop brute pour bien pénétrer son insondable misère.

Il attendait on ne sait quoi, de cette vague attente qui demeure constamment en nous. Il attendait au coin de cette cour, sous le vent glacé, l'aide mystérieuse qu'on espère toujours du ciel ou des hommes, sans se demander comment, ni pourquoi, ni par qui elle lui pourrait arriver. Une bande de poules noires passait, cherchant sa vie dans la terre qui nourrit tous les êtres. A tout instant, elles piquaient d'un coup de bec un grain ou un insecte invisible, puis continuaient leur recherche lente et sûre.

Cloche les regardait sans penser à rien ; puis il lui vint, plutôt au ventre que dans la tête, la sensation plutôt que l'idée qu'une de ces bêtes-là serait bonne à manger grillée sur un feu de bois mort.

Le soupçon qu'il allait commettre un vol ne l'effleura pas. Il prit une pierre à portée de sa main, et, comme il était adroit, il tua net en la lançant la volaille la plus proche de lui. L'animal tomba sur le côté en remuant les ailes. Les autres s'enfuirent, balancés sur leurs pattes minces, et Cloche, escaladant de nouveau ses béquilles, se mit en marche pour aller ramasser sa chasse, avec des mouvements pareils à ceux des poules.

Comme il arrivait auprès du petit corps noir taché de rouge à la tête, il reçut une poussée terrible dans le dos qui lui fit lâcher ses bâtons et l'envoya rouler à dix pas devant lui. Et maître Chiquet, exaspéré, se précipitant sur le maraudeur, le roua de coups, tapant comme un forcené, comme tape un paysan volé, avec le poing et avec le genou par tout le corps de l'infirme, qui ne pouvait se défendre.

Les gens de la ferme arrivaient à leur tour qui se mirent avec le patron à assommer le mendiant. Puis, quand ils furent las de le battre, ils le ramassèrent et l'emportèrent et l'enfermèrent dans le bûcher pendant qu'on allait chercher les gendarmes.

Cloche, à moitié mort, saignant et crevant de faim, demeura couché sur le sol. Le soir vint, puis la nuit, puis l'aurore. Il n'avait toujours pas mangé.

Vers midi, les gendarmes parurent et ouvrirent la porte avec précaution, s'attendant à une résistance, car maître Chiquet prétendait avoir été attaqué par le gueux et ne s'être défendu qu'à grand-peine.

Le brigadier cria :

— Allons, debout !

Mais Cloche ne pouvait plus remuer ; il essaya bien de se hisser sur ses pieux, il n'y parvint point. On crut à une feinte, à une ruse, à un mauvais vouloir de malfaiteur, et les deux hommes armés, le rudoyant, l'empoignèrent et le plantèrent de force sur ses béquilles.

La peur l'avait saisi, cette peur native des baudriers jaunes, cette peur du gibier devant le chasseur, de la souris devant le chat. Et, par des efforts surhumains, il réussit à rester debout.

— En route ! dit le brigadier.

Il marcha. Tout le personnel de la ferme le regardait partir. Les femmes lui montraient le poing ; les hommes ricanaient, l'injuriaient : on l'avait pris enfin ! Bon débarras.

Il s'éloigna entre ses deux gardiens. Il trouva l'énergie désespérée qu'il lui fallait pour se traîner encore jusqu'au soir, abruti, ne sachant seulement plus ce qui lui arrivait, trop effaré pour rien comprendre.

Les gens qu'on rencontrait s'arrêtaient pour le voir passer, et les paysans murmuraient.

— C'est quéque voleux !

On parvint, vers la nuit, au chef-lieu du canton. Il n'était jamais venu jusque-là. Il ne se figurait pas vraiment ce qui se passait, ni ce qui pouvait survenir. Toutes ces choses terribles, imprévues, ces figures et ces maisons nouvelles le consternaient.

Il ne prononça pas un mot, n'ayant rien à dire, car il ne comprenait plus rien. Depuis tant d'années d'ailleurs qu'il ne parlait à personne, il avait à peu près perdu l'usage de sa langue ; et sa pensée aussi était trop confuse pour se formuler par des paroles.

On l'enferma dans la prison du bourg. Les gendarmes ne pensèrent pas qu'il pouvait avoir besoin de manger, et on le laissa jusqu'au lendemain.

Mais, quand on vint pour l'interroger, au petit matin, on le trouva mort, sur le sol. Quelle surprise !

HISTOIRE VRAIE

Un grand vent soufflait au-dehors, un vent d'automne mugissant et galopant, un de ces vents qui tuent les dernières feuilles et les emportent jusqu'aux nuages.

Les chasseurs achevaient leur dîner, encore bottés, rouges, animés, allumés. C'étaient de ces demi-seigneurs normands, mi-hobereaux, mi-paysans, riches et vigoureux, taillés pour casser les cornes des bœufs lorsqu'ils les arrêtent dans les foires.

Ils avaient chassé tout le jour sur les terres de maître Blondel, le maire d'Éparville, et ils mangeaient maintenant autour de la grande table, dans l'espèce de ferme-château dont était propriétaire leur hôte.

Ils parlaient comme on hurle, riaient comme rugissent les fauves, et buvaient comme des citernes, les jambes allongées, les coudes sur la nappe, les yeux luisants sous la flamme des lampes, chauffés par un foyer formidable qui jetait au plafond des lueurs sanglantes ; ils causaient de chasse et de chiens. Mais ils étaient, à l'heure où d'autres idées viennent aux hommes, à moitié gris, et tous suivaient de l'œil une forte fille aux joues rebondies qui portait au bout de ses poings rouges les larges plats chargés de nourritures.

Soudain un grand diable qui était devenu vétérinaire après avoir étudié pour être prêtre, et qui soignait toutes les bêtes de l'arrondissement, M. Séjour, s'écria :

— Crébleu, maît' Blondel, vous avez là une bobonne qui n'est pas piquée des vers.

Et un rire retentissant éclata. Alors un vieux noble déclassé, tombé dans l'alcool, M. de Varnetot, éleva la voix :

— C'est moi qui ai eu jadis une drôle d'histoire avec une fillette comme ça ! Tenez, il faut que je vous la raconte. Toutes les fois que j'y pense, ça me rappelle Mirza, ma chienne, que j'avais vendue au comte d'Haussonnel et qui revenait tous les jours, dès qu'on la lâchait, tant elle ne pouvait me quitter. A la fin je m' suis fâché et j'ai prié l' comte de la tenir à la chaîne. Savez-vous c' qu'elle a fait c'te bête ? Elle est morte de chagrin.

Mais, pour en revenir à ma bonne, v'là l'histoire :

— J'avais alors vingt-cinq ans et je vivais en garçon, dans mon château de Villebon. Vous savez, quand on est jeune, et qu'on a des rentes, et qu'on s'embête tous les soirs après dîner, on a l'œil de tous les côtés.

Bientôt je découvris une jeunesse qui était en service chez Déboultot, de Cauville. Vous avez bien connu Déboultot, vous, Blondel ! Bref, elle m'enjôla si bien, la gredine, que j'allai un jour trouver son maître et je lui proposai une affaire. Il me céderait sa servante et je lui vendrais ma jument noire, Cocote, dont il avait envie depuis bientôt deux ans. Il me tendit la main. « Topez-là, monsieur de Varnetot. » C'était marché conclu ; la petite vint au château et je conduisis moi-même à Cauville ma jument, que je laissai pour trois cents écus.

Dans les premiers temps, ça alla comme sur des roulettes. Personne ne se doutait de rien ; seulement Rose m'aimait un peu trop pour mon goût. C't' enfant-là, voyez-vous, ce n'était pas n'importe qui. Elle devait avoir quéqu' chose de pas commun dans les veines. Ça venait encore de quéqu' fille qui aura fauté avec son maître.

Bref, elle m'adorait. C'étaient des cajoleries, des mamours, des p'tits noms de chien, un tas d'gentillesses à me donner des réflexions.

Je me disais : « Faut pas qu' ça dure, ou je me laisserai prendre ! » Mais on ne me prend pas facilement, moi. Je ne suis pas de ceux qu'on enjôle avec deux baisers. Enfin j'avais l'œil, quand elle m'annonça qu'elle était grosse.

Pif ! pan ! c'est comme si on m'avait tiré deux coups de fusil dans la poitrine. Et elle m'embrassait, elle m'embrassait, elle riait, elle dansait, elle était folle, quoi ! Je ne dis rien le premier jour ; mais, la nuit, je me raisonnai. Je pensais : « Ça y est ; mais faut parer le coup, et couper le fil, il n'est que temps. » Vous comprenez, j'avais mon père et ma mère à Barneville, et ma sœur mariée au marquis d'Yspare, à Rollebec, à deux lieues de Villebon. Pas moyen de blaguer.

Mais comment me tirer d'affaire ? Si elle quittait la maison, on se douterait de quelque chose et on jaserait. Si je la gardais, on verrait bientôt l' bouquet ; et puis, je ne pouvais la lâcher comme ça.

J'en parlai à mon oncle, le baron de Creteuil, un vieux lapin qui en a connu plus d'une, et je lui demandai un avis. Il me répondit tranquillement :

— Il faut la marier, mon garçon.

Je fis un bond.

La marier, mon oncle, mais avec qui ?

Il haussa doucement les épaules :

— Avec qui tu voudras, c'est ton affaire et non la mienne. Quand on n'est pas bête on trouve toujours.

Je réfléchis bien huit jours à cette parole, et je finis par me dire à moi-même : « Il a raison, mon oncle. »

Alors, je commençai à me creuser la tête et à chercher ; quand un soir le juge de paix, avec qui je venais de dîner, me dit :

— Le fils de la mère Paumelle vient encore de faire une bêtise ; il finira mal, ce garçon-là. Il est bien vrai que bon chien chasse de race.

Cette mère Paumelle était une vieille rusée dont la jeunesse avait laissé à désirer. Pour un écu, elle aurait vendu certainement son âme, et son garnement de fils par-dessus le marché.

J'allai la trouver, et tout doucement, je lui fis comprendre la chose.

Comme je m'embarrassais dans mes explications, elle me demanda tout à coup :

— Qué qu' vous lui donnerez, à c' te p' tite ?

Elle était maligne, la vieille, mais moi, pas bête, j'avais préparé mon affaire.

Je possédais justement trois lopins de terre perdus auprès de Sasseville, qui dépendaient de mes trois fermes de Villebon. Les fermiers se plaignaient toujours que c'était loin ; bref, j'avais repris ces trois champs, six acres en tout, et, comme mes paysans criaient, je leur avais remis, pour jusqu'à la fin de chaque bail, toutes leurs redevances en volailles. De cette façon, la chose passa. Alors, ayant acheté un bout de côte à mon voisin, M. d'Aumonté, je faisais construire une masure dessus, le tout pour quinze cents francs. De la sorte, je venais de constituer un petit bien qui ne me coûtait pas grand-chose, et je le donnais en dot à la fillette.

La vieille se récria : ce n'était pas assez ; mais je tins bon, et nous nous quittâmes sans rien conclure.

Le lendemain, dès l'aube, le gars vint me trouver. Je ne me rappelais guère sa figure. Quand je le vis, je me rassurai ; il n'était pas mal pour un paysan ; mais il avait l'air d'un rude coquin.

Il prit la chose de loin, comme s'il venait acheter une vache. Quand nous fûmes d'accord, il voulut voir le bien ; et nous voilà partis à travers champs. Le gredin me fit bien rester trois heures sur les terres; il les arpentait, les mesurait, en prenait des mottes qu'il écrasait dans ses mains, comme s'il avait peur d'être trompé sur la marchandise. La masure n'étant pas encore couverte, il exigea de l'ardoise au lieu de chaume parce que cela demande moins d'entretien!

Puis il me dit:

— Mais l' mobilier, c'est vous qui le donnez.

Je protestai:

— Non pas; c'est déjà beau de vous donner une ferme.

Il ricana:

— J' crai ben, une ferme et un éfant.

Je rougis malgré moi. Il reprit:

— Allons, vous donnerez l' lit, une table, l'ormoire, trois chaises et pi la vaisselle, ou ben rien d' fait.

J'y consentis.

Et nous voilà en route pour revenir. Il n'avait pas encore dit un mot de la fille. Mais tout à coup, il demanda d'un air sournois et gêné:

— Mais, si a mourait, à qui qu'il irait, çu bien?

Je répondis:

— Mais, à vous, naturellement.

C'était tout ce qu'il voulait savoir depuis le matin. Aussitôt, il me tendit la main d'un mouvement satisfait. Nous étions d'accord.

Oh! par exemple, j'eus du mal pour décider Rose. Elle se traînait à mes pieds, elle sanglotait, elle répétait: « C'est vous qui me proposez ça! c'est vous! c'est vous! » Pendant plus d'une semaine, elle résista malgré mes raisonnements et mes prières. C'est bête, les femmes; une fois qu'elles ont l'amour en tête, elles ne comprennent plus rien. Il n'y a pas de sagesse qui tienne, l'amour avant tout, tout pour l'amour!

A la fin je me fâchai et la menaçai de la jeter dehors. Alors elle céda peu à peu, à condition que je lui permettrais de venir me voir de temps en temps.

Je la conduisis moi-même à l'autel, je payai la cérémonie, j'offris à dîner à toute la noce. Je fis grandement les choses, enfin. Puis: « Bonsoir mes enfants! » J'allai passer six mois chez mon frère en Touraine.

Quand je fus de retour, j'appris qu'elle était venue chaque semaine au château me demander. Et j'étais à peine arrivé depuis une heure que je la vis entrer avec un marmot dans les bras. Vous me croirez si vous voulez, mais ça me fit quelque chose de voir ce mioche. Je crois même que je l'embrassai.

Quant à la mère, une ruine, un squelette, une ombre.

Maigre, vieillie. Bigre de bigre, ça ne lui allait pas le mariage ! Je lui demandai machinalement :

— Es-tu heureuse ?

Alors elle se mit à pleurer comme une source, avec des hoquets, des sanglots, et elle criait :

— Je n' peux pas, je n' peux pas m' passer de vous maintenant. J'aime mieux mourir, je n' peux pas !

Elle faisait un bruit du diable. Je la consolai comme je pus et je la reconduisis à la barrière.

J'appris en effet que son mari la battait ; et que sa belle-mère lui rendait la vie dure, la vieille chouette. Deux jours après elle revenait. Et elle me prit dans ses bras, elle se traîna par terre :

— Tuez-moi, mais je n' veux pas retourner là-bas.

Tout à fait ce qu'aurait dit Mirza si elle avait parlé !

Ça commençait à m'embêter, toutes ces histoires ; et je filai pour six mois encore. Quand je revins... Quand je revins, j'appris qu'elle était morte trois semaines auparavant, après être revenue au château tous les dimanches... toujours comme Mirza. L'enfant aussi était mort huit jours après.

Quant au mari, le madré coquin, il héritait. Il a bien tourné depuis, paraît-il, il est maintenant conseiller municipal.

Puis, M. de Varnetot ajouta en riant :

— C'est égal, c'est moi qui ai fait sa fortune à celui-là !

Et M. Séjour, le vétérinaire, conclut gravement en portant à sa bouche un verre d'eau-de-vie :

— Tout ce que vous voudrez, mais des femmes comme ça, il n'en faut pas.

LA ROCHE AUX GUILLEMOTS

Voici la saison des guillemots.

D'avril à la fin de mai, avant que les baigneurs parisiens arrivent, on voit paraître soudain, sur la petite plage d'Étretat, quelques vieux messieurs bottés, sanglés en des vestes de chasse. Ils passent quatre ou cinq jours à l'hôtel Hauville, disparaissent, reviennent trois semaines plus tard, puis, après un nouveau séjour, s'en vont définitivement.

On les revoit au printemps suivant.

Ce sont les derniers chasseurs de guillemots, ceux qui restent des anciens; car ils étaient une vingtaine de fanatiques, il y a trente ou quarante ans; ils ne sont plus que quelques enragés tireurs.

Le guillemot est un oiseau voyageur fort rare, dont les habitudes sont étranges. Il habite presque toute l'année les parages de Terre-Neuve, des îles Saint-Pierre et Miquelon; mais, au moment des amours, une bande d'émigrants traverse l'Océan, et, tous les ans, vient pondre et couver au même endroit, à la roche dite aux *Guillemots*, près d'Etretat. On n'en trouve que là, rien que là. Ils y sont toujours venus, on les a toujours chassés, et ils reviennent encore; ils reviendront toujours. Sitôt les petits élevés, ils repartent, disparaissent pour un an.

Pourquoi ne vont-ils jamais ailleurs, ne choisissent-ils aucun autre point de cette longue falaise blanche et sans cesse pareille qui court du Pas-de-Calais au Havre? Quelle force, quel instinct invincible, quelle habitude séculaire poussent ces oiseaux à revenir en ce lieu? Quelle première émigration, quelle tempête peut-être a jadis jeté leurs pères sur cette roche? Et pourquoi les fils, les petits-fils, tous les descendants des premiers y sont-ils toujours retournés?

Ils ne sont pas nombreux: une centaine au plus, comme si une seule famille avait cette tradition, accomplissait ce pèlerinage annuel.

Et chaque printemps, dès que la petite tribu voyageuse

s'est réinstallée sur sa roche, les mêmes chasseurs aussi reparaissent dans le village. On les a connus jeunes autrefois ; ils sont vieux aujourd'hui, mais fidèles au rendez-vous régulier qu'ils se sont donné depuis trente ou quarante ans. Pour rien au monde, ils n'y manqueraient.

C'était par un soir d'avril de l'une des dernières années. Trois des anciens tireurs de guillemots venaient d'arriver ; un d'eux manquait, M. d'Arnelles.

Il n'avait écrit à personne, n'avait donné aucune nouvelle. Pourtant il n'était point mort, comme tant d'autres ; on l'aurait su. Enfin, las d'attendre, les premiers venus se mirent à table ; et le dîner touchait à sa fin, quand une voiture roula dans la cour de l'hôtellerie ; et bientôt le retardataire entra.

Il s'assit, joyeux, se frottant les mains, mangea de grand appétit, et, comme un de ses compagnons s'étonnait qu'il fût en redingote, il répondit tranquillement :

— Oui, je n'ai pas eu le temps de me changer.

On se coucha en sortant de table, car, pour surprendre les oiseaux, il faut partir bien avant le jour.

Rien de joli comme cette chasse, comme cette promenade matinale.

Dès trois heures du matin, les matelots réveillent les chasseurs en jetant du sable dans les vitres. En quelques minutes on est prêt et on descend sur le perret. Bien que le crépuscule ne se montre point encore, les étoiles sont un peu pâlies ; la mer fait grincer les galets ; la brise est si fraîche qu'on frissonne un peu, malgré les gros habits.

Bientôt les deux barques, poussées par les hommes, dévalent brusquement sur la pente de cailloux ronds, avec un bruit de toile qu'on déchire ; puis elles se balancent sur les premières vagues. La voile brune monte au mât, se gonfle un peu, palpite, hésite et, bombée de nouveau, ronde comme un ventre, emporte les coques goudronnées vers la grande porte d'aval qu'on distingue vaguement dans l'ombre.

Le ciel s'éclaircit ; les ténèbres semblent fondre ; la côte paraît voilée encore, la grande côte blanche, droite comme une muraille.

On franchit la Manne-Porte, voûte énorme où passerait un navire ; on double la pointe de la Courtine ; voici le val d'Antifer, le cap du même nom ; et soudain on aperçoit une plage où des centaines de mouettes sont posées. Voici la roche aux Guillemots.

C'est tout simplement une petite bosse de la falaise ; et, sur les étroites corniches du roc, des têtes d'oiseaux se montrent, qui regardent les barques.

Ils sont là, immobiles, attendant, ne se risquant point à partir encore. Quelques-uns, piqués sur des rebords avancés, ont l'air assis sur leurs derrières, dressés en forme de bouteille, car ils ont des pattes si courtes qu'ils semblent, quand ils marchent, glisser comme des bêtes à roulettes ; et, pour s'envoler, ne pouvant prendre d'élan, il leur faut se laisser tomber comme des pierres, presque jusqu'aux hommes qui les guettent.

Ils connaissent leur infirmité et le danger qu'elle leur crée, et ne se décident pas à vite s'enfuir.

Mais les matelots se mettent à crier, battent leurs bordages avec les tolets de bois, et les oiseaux, pris de peur, s'élancent un à un, dans le vide, précipités jusqu'au ras de la vague ; puis, les ailes battant à coups rapides, ils filent, filent et gagnent le large, quand une grêle de plombs ne les jette pas à l'eau.

Pendant une heure on les mitraille ainsi, les forçant à déguerpir l'un après l'autre ; et quelquefois les femelles au nid, acharnées à couver, ne s'en vont point, et reçoivent coup sur coup les décharges qui font jaillir sur la roche blanche des gouttelettes de sang rose, tandis que la bête expire sans avoir quitté ses œufs.

Le premier jour, M. d'Arnelles chassa avec son entrain habituel ; mais, quand on repartit vers dix heures, sous le haut soleil radieux, qui jetait de grands triangles de lumière dans les échancrures blanches de la côte, il se montra un peu soucieux, rêvant parfois, contre son habitude.

Dès qu'on fut de retour au pays, une sorte de domestique en noir vint lui parler bas. Il sembla réfléchir, hésiter, puis il répondit :

— Non, demain.

Et, le lendemain, la chasse recommença. M. d'Arnelles, cette fois, manqua souvent les bêtes, qui pourtant se laissaient choir presque au bout du canon de fusil ; et ses amis, riant, lui demandaient s'il était amoureux, si quelque trouble secret lui remuait le cœur et l'esprit.

A la fin, il en convint.

— Oui, vraiment, il faut que je parte tantôt, et cela me contrarie.

— Comment, vous partez ? Et pourquoi ?

— Oh! j'ai une affaire qui m'appelle, je ne puis rester plus longtemps.

Puis on parla d'autre chose.

Dès que le déjeuner fut terminé, le valet en noir reparut. M. d'Arnelles ordonna d'atteler; et l'homme allait sortir quand les trois autres chasseurs intervinrent, insistèrent, priant et sollicitant pour retenir leur ami. L'un d'eux, à la fin, demanda :

— Mais, voyons, elle n'est pas si grave, cette affaire, puisque vous avez bien attendu déjà deux jours!

Le chasseur, tout à fait perplexe, réfléchissait, visiblement combattu, tiré par le plaisir et une obligation, malheureux et troublé.

Après une longue méditation, il murmura, hésitant :

— C'est que... c'est que... je ne suis pas seul ici; j'ai mon gendre.

Ce furent des cris et des exclamations :

— Votre gendre?... mais où est-il?

Alors, tout à coup, il sembla confus, et rougit.

— Comment! vous ne savez pas?... Mais... mais... il est sous la remise. Il est mort.

Un silence de stupéfaction régna.

M. d'Arnelles reprit, de plus en plus troublé :

— J'ai eu le malheur de le perdre; et, comme je conduisais le corps chez moi, à Briseville, j'ai fait un petit détour pour ne pas manquer notre rendez-vous. Mais, vous comprenez que je ne puis m'attarder plus longtemps.

Alors, un des chasseurs, plus hardi :

— Cependant... Puisqu'il est mort... il me semble... qu'il peut bien attendre un jour de plus.

Les deux autres n'hésitèrent plus :

— C'est incontestable, dirent-ils.

M. d'Arnelles semblait soulagé d'un grand poids; encore un peu inquiet pourtant, il demanda :

— Mais là... franchement... vous trouvez?...

Les trois autres, comme un seul homme, répondirent :

— Parbleu! mon cher, deux jours de plus ou de moins n'y feront rien dans son état.

Alors, tout à fait tranquille, le beau-père se retourna vers le croque-mort :

— Eh bien! mon ami, ce sera pour après-demain.

TABLE

CATALOGUE LIBRIO (extraits)

LITTÉRATURE

Hans-Christian Andersen
La petite sirène et autres contes - n° 682

Anonyme
Roman de Renart - n° 576
Les Mille et Une Nuits :
Sindbad le marin - n° 147
Aladdin ou la lampe merveilleuse - n° 191
Ali Baba et les quarante voleurs *suivi de* Histoire du cheval enchanté - n° 298

Guillaume Apollinaire
Les onze mille verges - n° 737

Fernando Arrabal
Lettre à Fidel Castro - n° 656

Isaac Asimov
La pierre parlante *et autres nouvelles* - n° 129

Richard Bach
Jonathan Livingston le goéland - n° 2
Le messie récalcitrant (Illusions) - n° 315

Honoré de Balzac
Le colonel Chabert - n° 28
Ferragus, chef des Dévorants - n° 226
La vendetta *suivi de* La bourse - n° 302

Jules Barbey d'Aurevilly
Le bonheur dans le crime *suivi de* La vengeance d'une femme - n° 196

René Barjavel
Béni soit l'atome *et autres nouvelles* - n° 261

James M. Barrie
Peter Pan - n° 591

Frank L. Baum
Le magicien d'Oz - n° 592

Nina Berberova
L'accompagnatrice - n° 198

Bernardin de Saint-Pierre
Paul et Virginie - n° 65

Patrick Besson
Lettre à un ami perdu - n° 218
28, boulevard Aristide-Briand *suivi de* Vacances en Botnie - n° 605

Pierre Bordage
Les derniers hommes :
1. Le peuple de l'eau - n° 332
2. Le cinquième ange - n° 333
3. Les légions de l'Apocalypse - n° 334
4. Les chemins du secret - n° 335
5. Les douze tribus - n° 336
6. Le dernier jugement - n° 337

Nuits-lumière - n° 564

Ray Bradbury
Celui qui attend *et autres nouvelles* - n° 59

Lewis Carroll
Les aventures d'Alice au pays des merveilles - n° 389
Alice à travers le miroir - n° 507

Jacques Cazotte
Le diable amoureux - n° 20

Adelbert de Chamisso
L'étrange histoire de Peter Schlemihl - n° 615

Andrée Chedid
Le sixième jour - n° 47
L'enfant multiple - n° 107
L'autre - n° 203
L'artiste *et autres nouvelles* - n° 281
La maison sans racines - n° 350

Arthur C. Clarke
Les neuf milliards de noms de Dieu *et autres nouvelles* - n° 145

Colette
Le blé en herbe - n° 7

Joseph Conrad
Typhon - n° 718

Benjamin Constant
Adolphe - n° 489

Savinien de Cyrano de Bergerac
Lettres d'amour et d'humeur - n° 630

Maurice G. Dantec
Dieu porte-t-il des lunettes noires ? *et autres nouvelles* - n° 613

Alphonse Daudet
Lettres de mon moulin - n° 12
Tartarin de Tarascon - n° 164

Philippe Delerm
L'envol *suivi de* Panier de fruits - n° 280

Virginie Despentes
Mordre au travers - n° 308
(pour lecteurs avertis)

Philip K. Dick
Les braconniers du cosmos *et autres nouvelles* - n° 92

Denis Diderot
Le neveu de Rameau - n° 61
La religieuse - n° 311